新世纪高等院校影视动画教材

三年级

Maya 后期合成

Maya After Compound

王嫱 / 黄迎春 编著

四川出版集团　四川美术出版社

图书在版编目(CIP)数据

Maya后期合成／王嫱 黄迎春编著. —成都：四川美术出版社，2006．6
新世纪高等院校影视动画教材. 三年级
ISBN 7-5410-2970-X

Ⅰ. M…Ⅱ. ①王…②黄… Ⅲ. 三维—动画—图形软件，Maya—高等学校—教材 Ⅳ. TP391．41

中国版本图书馆CIP数据核字(2006)第072172号

新世纪高等院校影视动画教材

Xinshiji Gaodeng Yuanxiao Yingshi Donghua Jiaocai

Maya后期合成（三年级）

Maya HOUQI HECHENG

王嫱 黄迎春 编著

责任编辑 何启超 范 欣
封面设计 刘春明
装帧设计 何启超 孙幼琳 张 扬 田 莉
责任校对 王培贵 倪 瑶 杨 鞠
版式制作 李 南
出版发行 四川出版集团 四川美术出版社
　　　　　（成都三洞桥路12号 邮政编码 610031）
网　　址 WWW. SCMSCBS. COM
经　　销 新华书店
印　　刷 成都经纬印务有限公司
成品尺寸 260mm×185mm
印　　张 9.75
图　　片 356幅
字　　数 13千
印　　数 4000册
版　　次 2006年12月第一版
印　　次 2006年12月第一次印刷
书　　号 ISBN 7-5410-2970-X/J·2121
定　　价 43.00元 附赠1教程CD）

揭示《Maya后期合成》的奥秘——

内容简介

　　《Maya后期合成》是影视动画专业技术制作教材之一，本书内容是针对各大专院校影视动画专业的必修课而写作的。内容由三大实用性软件构成—— Maya的运动匹配、Premiere Pro、After Effects。

　　运动匹配是以Maya合成技术为主，也是最重要的后期合成技术之一。Premiere Pro是常用的非线性后期合成软件，After Effects是通用的编辑制作后期合成软件，在本教材中，着重介绍三维动画的后期合成与Premiere Pro及After Effects的结合使用。

　　三个单元的课程，都以理论结合实例，在示例中融汇讲解各种技术原理，图文并茂循序渐进，重点突出，学习轻松。

　　本书适合高等院校影视动画专业教学，影视动画教师培训及CG爱好者的专业自学。

当前，快速发展的数字艺术、CG技术与我国影视动画、动漫、游戏行业现状的差距；美国、日本、韩国动漫产业成为其国民经济重要支柱的现实；在国内，共和国的同龄人对上世纪《大闹天宫》等中国动画片的美好记忆与当代中国青少年伴随着国外卡通形象成长的现实反差；改革开放以来，中国高速发展的具有中国特色的社会主义市场经济对培育新的经济增长点的要求，等等。这一切，都将我国影视动画、动漫、游戏产业必须快速、高效发展的课题摆在了我们面前。

从1994年我国为发展动漫产业提出的"5515"工程，到进入新的世纪，其缓慢、曲折的发展历程长达14年。而日益绚丽多彩的数字艺术对动漫产业的现代化要求；人们日益增长的物质文化需求对我们动漫产业所形成的巨大市场空间；历史上曾辉煌于世界的"中国气派"的民族艺术，如何在今天再现其文化内涵的现代魅力等等，更将对动漫产业人才的需求摆在了我们面前。

人才是事业、产业发展的原动力，是发展的根本。而我国动漫产业与所需人才的数量、质量上的差距，已成为动漫产业发展的"瓶颈"，培养造就大批新型数字艺术家、动漫游戏专业工作者，已是当前最急迫的任务。人才需求的现状，直接催生了近年来我国动画教育的蓬勃发展。国内有关大学及社会各类培训班的动画类招生人数，每年均呈快速递增的趋势。而这一切，对动漫各专业教育的课程设置、教材编写也提出了更高的要求。

策划于我国西部软件、数字娱乐之都的《新世纪高等院校影视动画教材》，特邀国内外具有丰富教学经验，关注各国动漫、数字娱乐最新发展的教授、教育专家，有长期动画制作经验和具有社会影响的数字艺术家共同编撰。
此系列教材立足于中国动漫游戏产业及教育现状，致力于将中国民族文化的内涵与来自国外的教学理念相结合，将CG技术与视觉艺术相结合，体现新型的"双轨"教育思想。在编撰中，注重教育的科学性、连续性、系统性，注重对学习者基本的专业技能和艺术修养的训练。

系列教材的撰写科目，以教育部规定的及全国各院校实际开设的专业基础课和技术课为主，包括1-4年级的影视动画艺术原创，CG技术的各种基础专业及技法训练，理论知识，共近30多个科目。系列教材的思路，注重理论与实例的融会贯通，图文并茂、循序渐进、重点突出，以最新的实例、最新的资讯、最简洁的方式使学习者获得知识。
在3ds Max与Maya两套教材中，根据各校的教学软件不同，以高等教育中不同年级的课程定位，设定了基础、技能，创作教学3个阶段。基础教学教材的中心要点：全面学习3dsMax和Maya软件的各项功能。技能教学的中心要点：掌握3ds Max和Maya各项技术制作方法，全面学习更深层次的3ds Max和Maya技术制作。创作教学以创作为蓝本，综合性讲解3ds Max和Maya的创作流程，以技术、技巧和艺术性的综合指导，开发学习者的三维动画创新思维，使学习者能系统地完成三维动画创作。还设置了国外艺术家讲座，通过欣赏艺术家的原创作品，艺术家自己谈三维艺术创作的心得，然后再学习他们的制作技法，在非常专业的引导下激发学生的学习激情，开阔学生视野。

此系列教材本着培养造就新型数字艺术创作者，振兴我国动漫游戏产业的美好愿望，从总体策划到收集信息、整理资料、作者撰写、编辑出版，现已历时两年。整个出版工程，凝聚了许多专家学者的心血，体现了中国动画人对中国动画教育和动漫产业的执着信念和热情。我真诚地感谢这套诞生于中国西部，具有中国特色的数字艺术高等教材的每位工作人员。同时，由于编写出版的时间紧迫及整个工作的复杂性，教材中存在的问题和纰漏，恳请同行、专家的指正、完善。

北京电影学院动画学院　院长　教授
2006年4月

1 什么是数字艺术？

深入、透彻而全面的定义现在是不会有的，一切刚开始。今天的数字艺术是一个开放的框架，充满悬念，有待大家积极摸索、大胆创新、发表见解。

2 新奇与完美，速度与方便。艺术与技术的相互作用与融合，是数字艺术制作与传播的基本特征。

3 必须叫人思量与重视的，是传统的视觉艺术和纯粹的计算机技术早已混合。并且无处不在，并且规模扩大，并且快速更新，并且明星惊艳。

4 数字艺术激发想像，超越现实，其本质是艺术的幻觉，是由现实的技术魔变出来的玄幻真实。这个领域早晚会形成另一种奇特而完整的知识结构，以及全新的理论体系。

5 直觉的形象思维与理性的逻辑思维不再各行其是。两股钢轨，一条铁道。两种思维，一个大脑。思想的空间迅速拓展，人的能量成倍增长。视觉和心理被触发，营造美丽，召唤激情。

6 新人类、新新人类。说的就是两种思维自由切换的人。迷恋技术，同时迷恋艺术。在艺术与技术之间，他们有特权。

7 一年级、二年级、三年级，小学生、中学生、大学生，一步、两步、三步，大家都是这么走的。要成功，先立志。未来的成就取决于你的努力，你的努力取决于你的思维，你的思维取决于你如何学习。学习艺术与技术结合的双向思维，是我给你的建议。

8 2005年的统计，电子娱乐经济已经超过国际军火经济。电子娱乐经济是什么？不就是数字艺术制品吗？不就是数字艺术的集体狂欢吗？

9 美女帅哥们，假如倒退30年，我会一头扎进这套教材。如同英国的小朋友进到C．S．LEWIS先生的大衣橱，有一个神奇的纳尼亚世界等在那里。

10 数字艺术的形态，一些显示了，一些尚未显示。正如它的力量，一些爆发了，一些尚未爆发。让我加入啦啦队：你攥着鼠标长大，你看着图像成长，快快采取行动。血拼一场，天昏地暗，日月无光，长驱直入，亲密接触。发挥你的天赋，创造你的艺术，让我们眼睛一亮！

四川大学 艺术学院 计算机（软件）学院 教授 程丛林

2006年5月26日

作者寄语

　　Hi，大家好!我是 Awang，这幅作品，是撰写此套教材特意献给同学们的。蓝色球代表教材，黄色球代表同学们，红色球代表我；手代表三方面的支持与配合。我们共同努力，托起我国动画事业美好的明天。

　　本套教材的编写，我们希望能体现以下特点：

　　·以计算机技术和视觉艺术相结合，体现新型的双轨思维教育：

　　·以艺术性，商业性与知识体例的系统性、完整性的完美结合为重点，以专业性、启发性、指导性的方法培养综合性高素质影视动画艺术原创、CG人才为目的；

　　·图文并茂、循序渐进，深入浅出地一步步完成教学：

　　·撰写科目以教育部规定的以及我国各院校实际开设的专业基础课和技术课为主，包揽1—4年级全部课程，共近30多个科目。

　　在本书里，让我们共同走进MaYa的神奇境界，体验Maya的强大功能，感受MaYa的无限虚拟空间……

附赠教程CD内容
《Maya 后期合成视频教程》

■ Premiere Pro影像素材文件

■ Premiere Pro图形素材文件

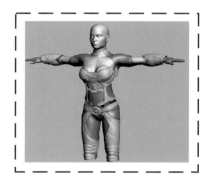

■ After Effects视频教程

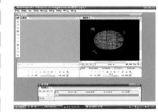 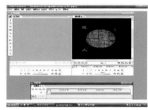 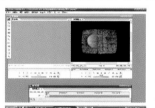

目　录

★学习前注意事项

　　因为MaYa是英文软件，在教学中初次出现的命令及各项功能时，都会做译文注解，而后就不再出现了，若不清楚时，请查阅每个命令以及功能初次出现的地方，或者查阅配套的《Maya中英文手册》。

　　在教学中未提到的参数和设置，就是要保持默认值，而指出来的参数和设置就是要改变的。

　　有特别需要注明的，会以"操作"、"注意"、"提示"、"重点"、"要点"、"技巧"、"警告"等来表明。

　　在学习与练习之前，请仔细观察原示例图，做到心中有数，方可开始一步一步跟着讲解的步骤去练习。

　　参考原文件，可以在学习光盘中找到。

1

第一部分
基础教学

基础教学导读

注:以上为基础教学的课程,参考学时:32课时。

第一章　运动匹配

学习目的

　　了解运动匹配的实质，理解运动匹配的优势，初识运动匹配的工作面板，为示例制作打好基础。

第一节　运动匹配的解决方案

　　Live 可以完成运动匹配的任务。运动匹配是指对实拍胶片上摄像机或物体的运动与计算机产生的计算机图像场景进行匹配。

　　为达到此目的，必须创建一个实拍场景的 3D 替代场景，代表场景中物体相关的位置和场景中摄像机和物体的运动，3D 替代场景越精确，则所进行的运动匹配越精确。

　　使用 Live 的几个优点如下：

　　1.电影设备的测量，称为 Survey Data（测量数据）可以不使用，不过 Live 完全支持测量数据，并且使用测量数据，可以精确加速运动匹配的进程。

　　2.因为 Live 是完全内置在 Maya 中，因此它与 Maya 的动画，可以完全无缝连接。

　　3.输出的运动匹配，可以被其他 Maya Complete 或非 Maya 动画软件使用。

　　4.运动匹配的方式有两种，一种是对围绕固定点的摄像机的运动进行计算，另一种是对围绕固定摄像机的点的运动进行计算，称为"物体跟踪"。

　　重建过程

　　在为实拍胶片创建 3D 替代场景时，Live 首先需要 2D 跟踪数据，通过仔细地选择某些特征点，并对每一个特征点进行跟踪计算，可以获得需要的 2D 跟踪数据。一旦获得了 2D 跟踪数据，Live 解算器，就可以使用运动分析算法来精确地计算摄像机，或物体的位置和运动，Live 解算器还可以使用测量数据，当然这并不是必要的步骤。

　　虽然解算器可以自动进行重建过程，然而在这过程中，仍然需要来参与分析计算的结果和进行一些必要的提高操作，例如，提高跟踪数据的精确度。

　　Live 工作过程总览

　　Live 的工作过程分为下面几个步骤：

　　1.Setup（设置）：这部分的任务包括对胶片和系统内存的设置。

2.Track(跟踪):这部分的任务包括对特征点进行跟踪计算来创建 2D 运动曲线。

3.Solve(解算):这部分的任务包括使用运动分析算法,从 2D 跟踪数据中获得摄像机(或物体)位置和运动。

4.Fine Tune(调节):使用调节操作,可以对摄像机的位置进行一帧一帧的调节。

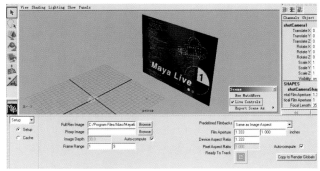

图 1-2-2　Live 开启时

第二节　启动 Live

从 Maya 内部启动 Live:

1.在模式选项栏下,选择 Live 选项,如图所示。

```
Animation
Modeling
Dynamics
Rendering
Live
Cloth
```

选择 Live 选项

这样在主菜单中,出现 Live 的菜单项,如图 1-2-1 所示。

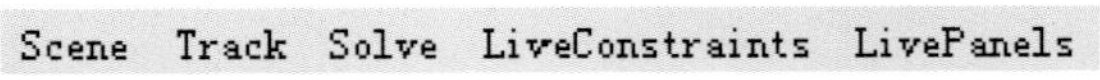

Scene　Track　Solve　LiveConstraints　LivePanels

图 1-2-1　Live 的菜单项

2.选择主菜单中的【Scene】>【New Match-Move】菜单命令。

注意

当 Live 开启时,仍然可以使用 Maya 的其它部分。选择【Scene】>【Live Controls】菜单命令,关闭控制面板,如图 1-2-2 所示。然后切换到其他菜单组中,例如 Animation 中。

第三节 Live 控制面板

当选择 New MatchMove 命令以后,在 Maya 视窗的底部会出现一个控制面板。在控制面板中,可以控制大部分 Live 操作。Live 每个主要的任务 Setup、Track、Solve 和 Fine Tune 都有不同的面板。

在控制面板之上是 Live 的视图面板,使用这些视图面板,可以完成相应的运动匹配任务。例如,Track 任务就具有 shotCamera、pointCenteredCamera 和 Track Summary 视图面板,如图 1-3-1 所示。

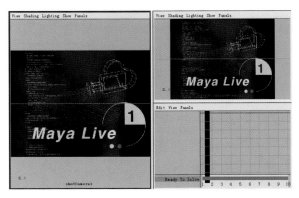

图 1-3-1　Track 任务视图面板

 操作:在控制面板中切换

使用下面的几个菜单,可以在 Live 控制面板中切换:

使用每个 Live 控制面板左侧的菜单,如图 1-3-2 所示。

图 1-3-2 Live 控制面板左侧的菜单

在任意的 Live 控制面板上右键单击,然后使用弹出菜单,如图 1-3-3 所示。

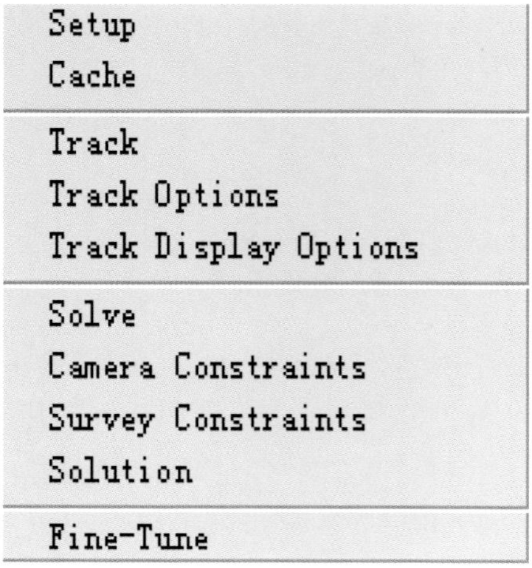

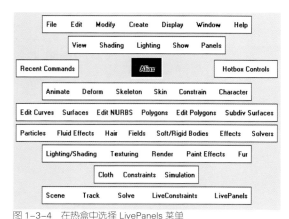

图 1-3-3 弹出菜单

使用 Maya 主视窗中的 LivePanels 菜单。按下空格键,在热盒中选择 LivePanels 菜单,如图 1-3-4 所示。

图 1-3-4 在热盒中选择 LivePanels 菜单

视图面板命令

可以在任意的视图面板中,使用下列视图操作命令。在透视图、Track Summary(实时跟踪)面板、Locator Summary(实时位置)面板和 Graph Editor(图表编辑器)中,这些命令特别有用。

操作:鼠标快捷键

空格键——当把鼠标指针放置在面板上时,按此键使面板为全屏显示。再按,可恢复其原始尺寸。

Alt+ 鼠标中键——Track(移动)命令,可移动视图,以观看其它区域。

Alt+ 鼠标左键——Tumble(翻转)命令,只在透视图中使用。

Alt+ 鼠标左键 + 中键——Dolly (推拉)命令,向右拖动放大视图,向左拖动缩小视图。

Ctrl+Alt+ 鼠标左键——放大或缩小圈选的视图区域。从左向右圈选,放大选择区域。从右向左圈选,缩小选择区域。

操作:关闭 Live 控制面板

通过选择【Scene】>【Live Controls】命令,可以打开或关闭 Live 控制面板。还可以按【F6】键,实现此目的。

第四节 Live 菜单

Live 菜单包括轨道和解算控制面板中的主要命令,除此之外,Scene(场景)菜单包括最终输出的解算命令,Track(轨道)菜单包含输出和输入的轨道点的命令。

在 Live 中,含有右击弹出菜单,可以快速访问 Live 控制面板和 Track Summary 面板命令,如图 1-4-1 所示。

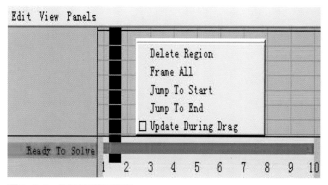

图 1-4-1 含有右击弹出菜单

第五节 播放工具

有两种方式可以播放镜头和点轨道：播放电影方式和时间滑块方式。

播放电影方式

Playblasts 和 Pointblasts 是 Live 创建的两个系统内存电影，可用在电影播放视窗中播放。电影播放有标准的播放按钮，可用右键单击鼠标，左右拖动，播放电影。Playblast 和 Pointblast 都是有效的，但不是动态的，因为需要花时间创建电影。

时间滑块方式

在 Maya 视窗的底部是时间滑块播放工具。在默认状态下，Live 用图像缓存执行时间滑块，使其在快速系统内存中播放。如果没有足够的系统内存，或没有设置图像缓存，Time Slider 作用起来可能会很慢。

小结：

概要讲解了运动匹配的操作基础，为今后的制作打好基础。

课外练习：

熟悉运动匹配工作界面，练习各面板的基础操作。

第二章　基本工作流程

学习目的

　　通过一个示例讲解，学习运动匹配的基本工作流程。

第一节 Setup（设置）

操作：调入和设置场景

　　1.选择【Scene】>【New MatchMove】命令，创建新的运动匹配。

　　2.单击 Full Res Image 旁边的 Browse 按钮，如图 2-1-1 所示。

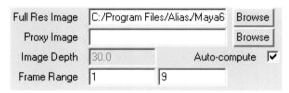

图 2-1-1　单击 Full Res Image 旁边的 Browse 按钮

　　3.在弹出的对话框中，选择硬盘中或光盘中的序列影像文件。

　　4.从中选择任意的影像文件。如 shot1BG.rgb.0001。

　　5.单击 Open 按钮，则 Live 会调入整个影像序列，如图 2-1-2 所示。

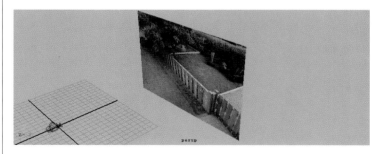

图 2-1-2　会调入整个影像序列

　　6. 从 Predefined Filmbacks 菜单中，选择 35mm Full Aperture 选项。

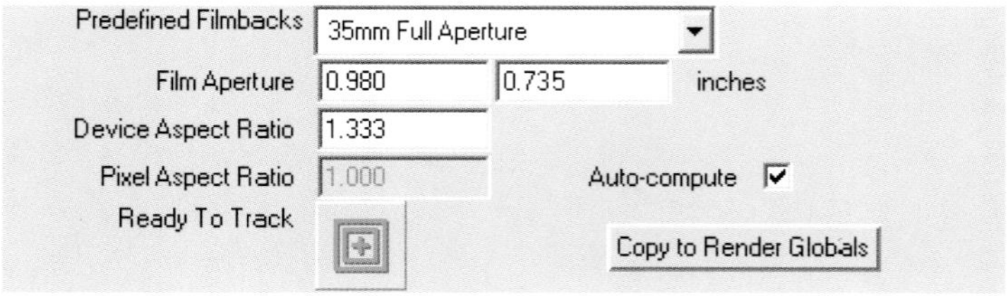

图 2-1-3　选择 35mm Full Aperture 选项

警告：如果选择的不是 35mm Full Aperture 选项，则在本课程的后面，将不能使用事先准备好的跟踪点。

影像缓存设置

作为一个选项，可以设置 Live 在播放影像序列时所使用的缓存。当从缓存中播放影像时，可以提高操作的速度，因此如果在学习的过程中，碰到操作上的难题，可以尝试优化缓存设置来解决问题。

第二节 Track（跟踪）

在这一部分中介绍如何跟踪计算三个特征点，每一个都使用稍微不同的技术。在这部分的最后，将输入其他的特征点。

选择特征点，并进行跟踪计算

操作：播放影像序列并准备跟踪计算

1. 打开 Track 控制面板。

2. 使用下面的方法来实时播放影像序列。选择【Window】>【Playblast】菜单命令，来创建一个 Movie 文件，并可以在 Movieplayer 视窗中进行播放。或者使用时间滑块上的播放工具，在 shotCamera 视图面板中，播放影像序列，这种方式假设有足够的影像缓存来存储整个影像序列。

3. 标志影像中对比度比较强，并且不会显著改变形状的特征点。

4. 标志可见时间比较长的特征点。

5. 标志能够提供深度和区域信息的特征点。

6. 标志动画或 CG 物体放置处的特征点，在本例中，则是影像中的篱笆，如图 2-2-1 所示。

图 2-2-1　标志动画或 CG 物体放置处的特征点

操作：跟踪计算标志的特征点

1. 设置当前的时间为第一帧。

2. 单击 Track Box（跟踪盒）操纵器来激活它。

3. 在 shot Camera 视图中，使用鼠标中键，单击从右面开始算起的第四朵花，则 Live 在单击的区域创建了一个跟踪盒，如图 2-2-2 所示。

图 2-2-2　创建一个跟踪盒

或者先创建跟踪盒，然后把它拖到要创建的位置上。可以在 Track 控制面板上，单击 Create 按钮，或选择【Track】>【Create Track Point】命令创建一个跟踪盒。

4. 在 pointCentered 视图中，操纵跟踪盒，将跟踪盒的十字交叉定位在标志的中心上，如图 2-2-3 所示。

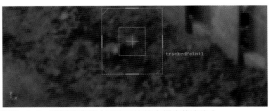

图 2-2-3　将跟踪盒的十字交叉定位在标志的中心上

要点

从十字架处拖动来操纵跟踪盒，跟踪盒移动的方向与拖动的方向相反，因为拖动操纵实际上是在摇移摄像机。

5.保持跟踪盒为默认的尺寸。

要点

内部的目标盒定义了需要匹配的图像，外部的边框定义了将要搜索的区域。

6. 在 Track 控制面板的 Name 项中输入 Flower1,如图 2-2-4 所示。

Name	Flower1	
Location	384.0760	124.1713
Target Size	15.0000	15.0000
Search Range	10.0000	10.0000
Variance	1.0000	
Active	✓	

图 2-2-4　输入 Flower1

要点

为了方便以后的操作，最好在创建特征点后，重新为其命名。注意在命名后，必须按【Enter】键来保存所作的改变，而且新的名称，立即显示在摄像机视图中。

7.在控制面板中进行设置,如图 2-2-5 所示。

图 2-2-5　在控制面板中进行设置

8.单击 Start Track(开始跟踪)按钮,开始跟踪计算。开始将出现一个进程对话框,然后出现跟踪点的动画,如图 2-2-6 所示。

跟踪点的动画　进程对话框

图 2-2-6　进程对话框

操作:评估跟踪计算

1. 重新播放跟踪计算所产生的特征点动画。

2.标示跟踪盒,仍然位于目标之上的最后一帧。

提示

跟踪盒的交叉十字滑,离目标的距离,不应该超过一个像素。如果需要更高的精确度,则这个距离应该更小。

3.关闭动画播放视窗。

4.在 Track Summary 面板中,观察跟踪计算产生的图表,如图 2-2-7 所示。

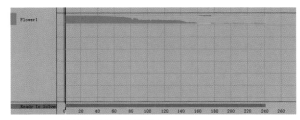

图 2-2-7　观察跟踪计算产生的图表

提示

此面板中的图表,表明了每个跟踪点的质量。在图表中,绿色表明跟踪计算是成功的,黄色是警告,红色则是强烈的警告。

5.最后在 shotCamera 面板中,观看轨迹线,如图 2-2-8 所示。

图2-2-8 观看轨迹线

 提示

在跟踪点两边的线，描述了跟踪盒的2D运动。红色是向后，蓝色是向前，使用它们可以评估运动的平滑度。

操作：反向跟踪计算

使用下面的过程来提高跟踪计算的质量。

1.设置当前时间为最后一帧，240帧。

2.单击 Track Box（跟踪盒）工具，来激活跟踪盒的操纵器。

3.如果必要，重新定位跟踪盒。

要点

一般的，可以在任意帧，以及任何不对齐的位置上定位跟踪盒。每当重新定位一个跟踪盒，Live 都会在 Track Summary 面板中，重新定位的帧上，画一条蓝线。

4.选择下面的设置，如图 2-2-9 所示。

要点

为避免覆盖现有的良好的跟踪数据，确保从 Stop Tracking On 下拉菜单中，选择 Better Frame 项。选择此项后，当跟踪器到达一个具有良好跟踪数据的帧时，会停止跟踪计算。

5.单击 Start Tracking 按钮。

 提示

当结束时，跟踪计算质量图表中的绿色会更多，如图 2-2-10 所示。

 操作：跟踪篱笆上的特征点

在下面的例子中，讲解如何从跟踪数据中删除帧和如何使用双向跟踪方向。

1.设置当前时间为第一帧。

2.单击 Track Box 工具来激活它。

3.使用鼠标中键，单击篱笆的右下角，如图2-2-11 所示。

4.重新定位和调整跟踪盒，如图 2-2-12 所示。

 要点

在内部框的顶部或底部单击，并将内部框，向中心拖动。放大目标盒，使其可以在影像的边缘处，保持比较长的时间。

5.在 Name 项中输入新的名称 Fencecorner。

6.将 Tracking Direction 设置为 Forward。

7.当此特征在视图中消失时，跟踪器停止。

8. 删除篱笆角落在视图中消失处以后的所有的帧。在 Track Summary 面板中，在出现问题处的帧范围处（从 57 到 60 帧）画一个选择框，如图 2-2-13 所示。然后选择 【Edit】>【Delete Region】命令来删除这部分区域。

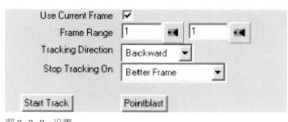

图2-2-9 设置

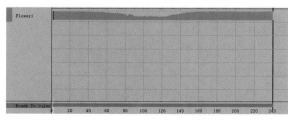

图2-2-10 跟踪计算质量图表中的绿色会更多

图 2-2-11 单击篱笆的右下角

图 2-2-12 重新定位和调整跟踪盒

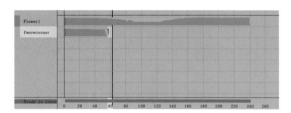

图 2-2-13 在出现问题处的帧范围处画一个选择框

9.移动到第 140 帧处,此时篱笆角落出现在视图中,如图 2-2-14 所示。

 技巧

可以首先移动到 57 帧处,来选中它,然后按空格键来放大 Track Summary 面板。

10.单击 Track Box 工具,来激活跟踪盒的操纵器。

11.重新定位在篱笆角落处的跟踪盒,如图 2-2-15 所示。

12. 设置 Tracking Direction 项为 Forward。

13. 单击 Start Track 按钮,开始跟踪计算。

提示

在在跟踪计算质量图表中,第二个跟踪区域的大部分都应该是绿色的,如图 2-2-16 所示。

操作:跟踪一个篱笆条

下面介绍双向跟踪的使用。因为跟踪计算是在影像序列的中心失败的,这就需要在失败处同时向前或向后进行跟踪计算。

1.设置当前时间为第一帧。

2.单击 Track Box 工具来激活它。

3.使用鼠标中键,在从右算起的第四个篱笆条上,单击创建一个跟踪盒,如图 2-2-17 所示。

图 2-2-14 篱笆角落出现在视图中

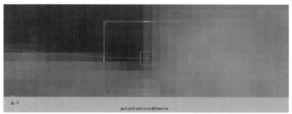

图 2-2-15 重新定位在篱笆角落处的跟踪盒

 注意

确保内部的目标盒,保持在画面的边缘之内。这时可能要重新调节它的尺寸。

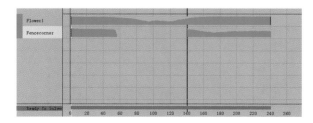

图 2-2-16 第二个跟踪区域的大部分都应该是绿色的

图 2-2-17 创建一个跟踪盒

4.定位跟踪盒在篱笆条的中心。

5.在 Name 项中为特征点输入新的名称 fenceX4。

6.设置 Tracking Direction 项为 Forward。

7.单击 Start Track 按钮,来开始跟踪计算。

提示

跟踪计算的质量,将会在中部逐渐衰减,如图 2-2-18 所示。

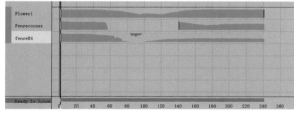

图 2-2-18 在中部逐渐衰减

8.移动到 100 帧。

9.重新定位跟踪盒在篱笆条的中心。

10.改变下列的参数,如图 2-2-19 所示。

图 2-2-19 改变参数

11.单击 Start Track 按钮,开始跟踪计算。

提示

跟踪器会同时向前和向后跟踪计算,使跟踪点的跟踪质量图表大部分都是绿色的,如图 2-2-20 所示。

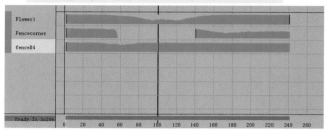

图 2-2-20 使跟踪点的跟踪质量图表大部分都是绿色的

操作:结束跟踪计算

输入其他的特征点:

接下来,输入已存储的特征点。在进行解算操作之前,必须输入这些特征点。

1.选择【Track】>【Import Track Points】命令。

2.在弹出的对话框中,选择教程光盘中 pointFiles 目录。

3.输入下面的文件:fence_1.pts。

操作:进行解算计算的条件

1.定位鼠标在 Track Summary 面板中,并按空格键来放大视图,如图 2-2-21 所示。

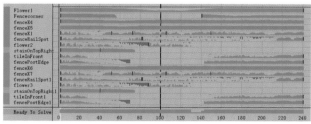

图 2-2-21 放大视图

2.在整个影像序列的范围内寻找特征点的数目,在每一帧上,至少应该有四个可解算的特征点。

3.观察 Ready to Solve 栏。

它应该大多数是绿色和黄色,略带些白色。但在这种情况下,它的中间有许多红色,稍后将对此给以纠正。

4.检查跟踪计算中的错误。

在跟踪计算质量图表中,有一些红色的区域是允许的。有点红色没有关系,但需要双击红色区域,观察点是否在轨道上。

第三节 Solve(解算)

注意

在开始解算之前,应该调入跟踪点文件——fence_1.pts。

操作:解算

1.打开 Solve 控制面板。

2.验证帧范围是从 1 至 240。

3.单击 Root Frame 标题下的 Solve 按钮。

要点

当解算计算结束后,解算的摄像机和 3D 定位器,将显示在透视图中,并且解算过程的名称 solution_rf 将显示在 Solve 控制面板的 solution 列中,如图 2-3-1 所示。

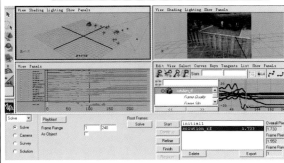

图 2-3-1　解算的摄像机和 3D 定位器显示在透视图中

操作:评估解算过程

1. 在 Solve 控制面板中的 Overall Pixel Slip 项,整个像素的滑动量大约是 1.733。

要点

像素跳跃以像素为单位,测量跟踪点和它的定位器的距离。Overall Pixel Slip 是选择分辨率中所有帧上所有点的平均数。

2.在透视图中,使用一些视图操作命令,如 Dolly 或 Track 等命令,重新观看解算结果的形状。评估定位器和摄像机之间的相对位置,以及解算结果相对于世界网格的位置。

3.在 Graph Editor(图表编辑器)面板中,检查解算曲线。

提示

在图表中寻找不正常变化的曲线。如图 2-3-2 所示,Frame Slip 突然增加了。Frame Slip 是每个帧的平均像素。

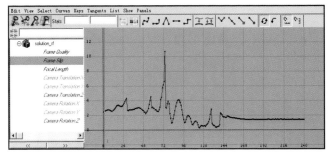

图 2-3-2　Frame Slip 突然增加了

操作:输入更多的特征点

为了提高解算的质量,还需要更多的特征点。

1. 选择【Track】>【Import Tracked Points】命令。

2. 在弹出的对话框中,输入下列的文件:fence_2.pts。

操作:使用更多的特征点再次进行解算。

1.打开 Solve 控制面板。

2.单击 Solve 按钮,进行解算。

当解算完成后,solution_rf1 显示在 solution(方案)列中,如图 2-3-3 所示。

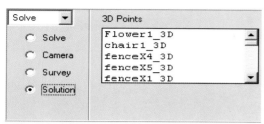

图 2-3-3　显示在 solution 列中

3.评估解算方案。

提示

则 Overall Pixel Slip 项的数值可能为 9.685,并且在透视图中,解算的摄像机更加地合理。

操作:记录解算结果

在本例中,接下来的步骤是记录解算结果。记录意味着对齐和缩放解算结果,使其在世界坐标轴系统中,更加地匹配其原始的真实的运动。

为了记录,必须创建和实施 survey constraints(测量限制)。在 Live 中可以使用多种不同的限制组合。在本例中,使用了两个 Plane(平面)限制,一个 Distance(距离)限制和一个 Point(点)限制。

Ground plane(地面):这个平面大略地把地面上的点和网格平面对齐在一起。因为不知道地面上的点是否完美的共面,因此可以打开 Registration Only 参数,当选中此参数时,Live 不会强迫地面上的点共面。

Fence Plane:这个平面限制,将使篱笆上的点垂直于地面。

Distance(距离限制):使用此限制将缩放解算结果的形状。

Point(点限制):此限制将把 fencecorner 特征点,锁定在原点之上,使用此限制的目的是把解算结果和输入的篱笆几何体对齐起来。

操作:创建地面限制

1. 打开 Solve Survey 控制面板,选择【clip1TrackedPointVisi】。

2.选择【Window】>【Outliner】命令,打开 Outliner 视窗。

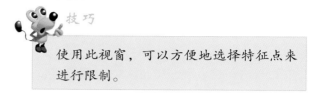

技巧

使用此视窗,可以方便地选择特征点来进行限制。

3.选择【clip1TrackedPointVisibilityGroup】>【clip1TrackedPointGroup】中的下列特征点,如图 2-3-4 所示。

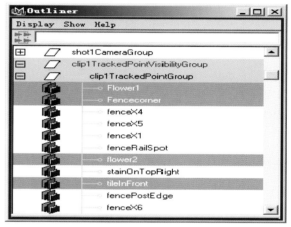

图 2-3-4　选择特征点

4.从 Constraint Type 项的下拉式列表框中,选择 Plane,如图 2-3-5 所示。

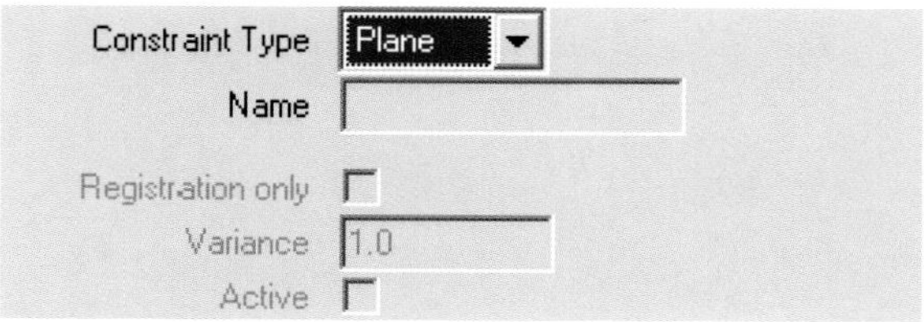

图 2-3-5　选择 Plane

5.单击 Create 按钮,创建平面限制,如图 2-3-6 所示。

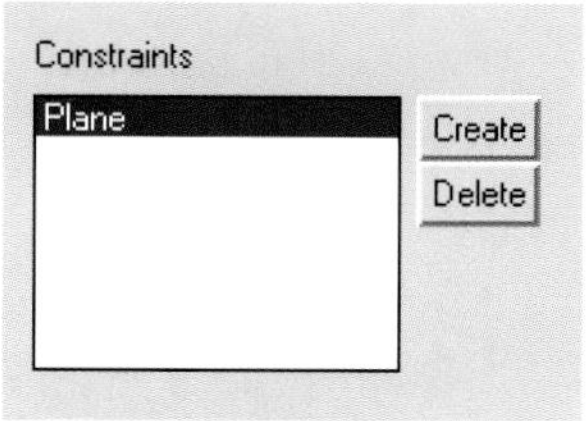

图 2-3-6　创建平面限制

6.重新命名平面限制的名称为 ground。

7.单击 Registration Only 参数。

操作:创建篱笆平面限制

1. 在 Outliner 视窗中，选择【clip1TrackedPointVisibilityGroup】>【clip1TrackedPointGroup】组中的下列特征点:fenceX1,fenceX4,fenceCorner,fenceRailSpot、fenceLeft1,fencePostEdge。

2. 从 Constraint Type 项的下拉列表中,选择 Plane。

3.单击 Create 按钮。

4.沿 X 轴旋转平面限制 90 度。

提示:可以在通道盒中设置 Rotate X=90 度。

5.改变限制的名称为 fence。

操作:创建 Distance(距离)约束

1. 在 Outliner 视窗中，选【clip1TrackedPointVisibilityGroup】>【clip1TrackedPointGroup】下的下列特征点:fenceCorner、tileInFront。

2. 从 Constraint Type 项的下拉式列表中,选择 Distance 项。

3.单击 Create 按钮,创建距离约束。

4. 在 Distance 参数项的输入栏中输入 2.0 如图 2-3-7 所示。

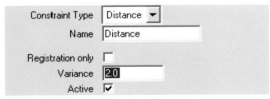
图 2-3-7　在 Distance 参数项的输入栏中设置

操作:创建一个点限制

1. 在 Outliner 视窗中，选择【clip1TrackedPointVisibilityGroup】>【clip1TrackedPointGroup】之下的下列特征点:fenceCorner。

2.从 Constraint Type 项的下拉式列表框中,选择 Point。

3.单击 Create 按钮,创建点约束。

4.设置点约束的位置是在原点(0,0,0)。

5.关闭 Outliner 视窗。

操作:记录点约束

1.打开 Solve 控制面板。

2.在列中选择 solution_rf1。

3.单击 Register 按钮。

提示

当解算结束后,在列表中将显示 registered,如图 2-3-8 所示。

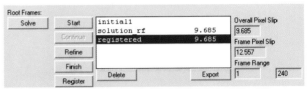
图 2-3-8　在列表中将显示 registered

操作:输入几何体和产生动画

使用几何体来评估解算结果:可以在场景中，添加几何体来评估解算结果。在本例中,将输入 CG 模型-篱笆几何体。

注意

在进行下面的步骤之前，必须正确地完成上面的"记录解算结果"部分。

1.进入 Track 面板。

2.设置当前时间为第一帧,这样可以看到整个篱笆。

3. 选择平面限制，然后选择【Display】>【Hide】>【Hide Selection】命令把它们隐藏。

4.选择【File】>【Import】命令。

5.在弹出的对话框中选择/fenceScene 目录。

6.选择 fenceModel.mb,并输入它。则篱笆将被调入到场景中,并且它的右下角将在原点上。在调入篱笆时,可能需要几分钟,如图 2-3-9 所示。

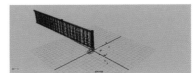
图 2-3-9　篱笆将被调入到场景中

7.选择【Window】>【Playblast】命令来产生动画。

小结：

　　至此为止,解算就基本完成了。最后可以输出运算结果，也可以不输出运算结果。

课外练习：

　　练习课程中的每一个操作，参考示例练习整个工作流程。

第三章 设置实拍影像

学习目的

Live 的第一个任务是设置的实拍影像。这一章讲解如何设置实拍影像，并对一些 Track 和 Solving 操作进行讲解。

第一节　调入影像

1.在 Setup 控制面板的左侧，可以调入影像，一般单击 Full Res Image(高分辨率影像)旁的 Browse 按钮。在浏览视窗中，选择任一影像，如图 3-1-1 所示。

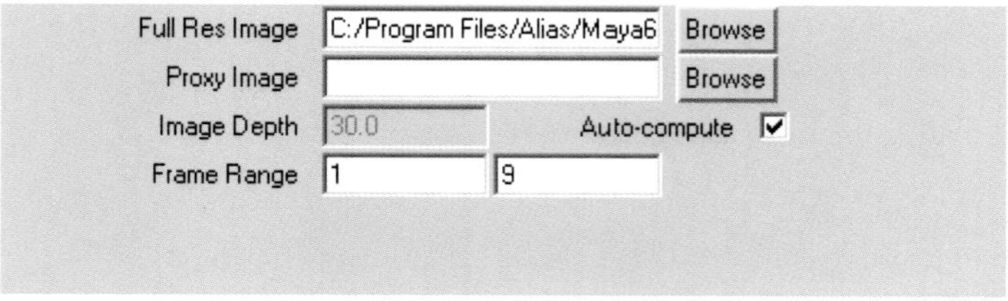

Full Res Image	C:/Program Files/Alias/Maya6	Browse
Proxy Image		Browse
Image Depth	30.0	Auto-compute ☑
Frame Range	1	9

图 3-1-1 调入影像

2.Live 支持标准 Maya 影像文件格式：Alias (.als)、Bitmap(.bmp)、Cineon(.cin)、Explore(.tdi)、GIF.gif、JPEG(.jpg)、MAYA (.iff)、PostScript (.eps)、Quantel (.yuv, .qtl)、Silicon Graphics(.rgb, .sgi, .bw, .icon)、Softimage (.pic)、Sony Playstation (.tim)、TIFF (.tif, .tiff)、Targa (.tga)、Wavefront (.rla)，Live 也支持标准 Maya 影像编号格式：名字. ###.ext、名字.ext.### 和名字. ###。

但在调入影像前，应注意以下建议：

(1)视频影像问题：如果视频影像是交织的，首先解决这种问题。

(2)Large film(大电影)影像问题(每个影像大于 1.5 兆字节)：先创建低分辨率的大电影影像的替身，或高分辨率动画文件。电影影像替身，可以避免许多执行问题。

技巧

可以在高分辨率影像设置或替身影像设置中指定影像替身，也可以指定高分辨影像。如果两者都使用，则所有的动画播放或交互操作都使用比较快的低分辨率影像，也就是替代影像，而跟踪计算，则使用比较快的精确的高分辨率影像。

Image Depth(影像深度)选项——设置 3D 摄像机和影像平面之间的距离。

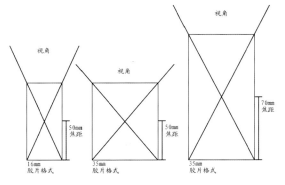

图 3-2-2　胶片、焦距和视图角度的关系

1.Live 不能采用当前影像尺寸的胶片规格，必须指定胶片的规格。因为当扫描或将影像转换为数字文件时，影像的宽高比率是经常改变的。

2.可以打开属性编辑器，右键单击摄像机，并选择 shotCamera 中的 shotCameraShape 节点，检测 Live 预定义的胶片规格，是如何影响摄像机的设置。受影响的属性有 Angle Of View、Camera Aperture 和 Film Aspect Ratio。

3.在默认状态下，Live 将摄像机的焦距设置为 35mm。如果输入不同的焦距，或让 Live 计算焦距，必须设置胶片规格，并改变摄像机的限制操作。

操作：设置胶片规格和其他一些比率

1.从 Predefined Filmbacks 项的菜单中，选择一种胶片规格，使其最匹配拍摄的影像。

要点

对于从底片扫描的影像，选择 16mm、35mm 或 70 mm 的胶片规格；对于要传送到视频上播放的胶片影像，选择一种胶片规格或一种 HDTV 设置。但不要选择 Video Source；对于视频文件，选择 Video Source 或从 Video Source 中选择 HDTV。

2.检查 Maya 设置的参数，在多数情况下，保持默认设置。

要点

关闭 Auto-compute 项时，可以对此项进行设置。在大部分情况下，选中 Auto-compute 项，因为这可以确保 3D 定位器，显示在影像平面的前面。

Frames Range(帧范围)□□□ 在此项中，可以设置调入影像的范围。所有跟踪和解算操作都使用这部分帧范围。

警告

当必须覆盖或清除高分辨率影像设置中的默认标志图，在进行改变时，一定要按下回车键。

第二节　设置胶片规格和设备比率

在 Setup 控制面板的右侧，可以设置胶片规格和其他一些外貌比率。外貌比率是胶片的宽高比，胶片规格是曝光电影底片的比率，如图 3-2-1 所示。

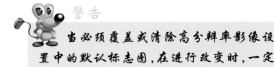

图 3-2-1　设置胶片规格和其他一些外貌比率

为什么设置胶片规格？

为什么忽略胶片规格，而应用硬盘上影像的宽高比率？因为如果不知道胶片规格，Live 无法得出正确的视图角度和焦距，因此渲染的影像是无法与原电影胶片相匹配的。如图 3-2-2 所示是胶片、焦距和视图角度的关系。

Film Aperture 选项——这些设置测量胶片的宽度和高度。

Device Aspect Ratio（设备比率）——确保了最后渲染输出设备的比率,是由宽度除以高度,然后乘以透镜的挤压,透镜挤压的参数值为1。

注意

设备宽高比率与工业标准术语稍有不同。例如,Super 16mm 的比率一般为 1.66,但实际数值是 1.688,而且失真的屏幕高宽比定为 2.35,实际是 2.361。

Pixel Aspect Ratio（像素宽高比率）——每个像素的比率,可以是正方形的(1.0),也可以不是正方形,例如 PAL 视频。可以关闭 Auto-compute, 对其进行改变。当自动计算时,Live 从下列的一个标准中选择参数值。

1.0（正方形）、1.067(PAL)45（NTSC、半高）、0.9（NTSC）、2.0（失真）、50355（PAL 半高）。

3.Ready to Track（准备跟踪）按钮。

图 3-2-3　能够进行跟踪计算

图 3-2-4　不能进行跟踪计算

4.如果想用 Maya 渲染镜头,单击 Copy to Render Globals 按钮。

要点

Live 将宽高比率拷贝到 Maya 的 Render Globals 里的分辨率设置中。如果改动 Setup 中的设置,再次单击 Copy to Render Globals 按钮,修改 Render Globals 设置。

操作:纠正 Ready to Track 的错误

当此按钮变为红色时, 这意味着 Live 在宽高比率和实际影像的宽高比率间发生了不正确的设置。Live 按下列关系检测问题:

Device Aspect Ratio (AR) = Image AR×Pixel AR

Device Aspect Ratio （AR) = Filmback AR× Lens Squeeze

例如,影像在扫描的过程中,或转换到其他数字影像的过程中被剪裁掉,这会出现不正确的设置。

1.保证选择正确的胶片规格。

一般可以从摄影师或导演手里,获得这种设置。如果不能,尝试一下不同的设置。

2.单击 Ready to Track 按钮。

大多数情况下,可以看到警告对话框,如图 3-2-5 所示,如果不能的话,请跳到第 4 步。

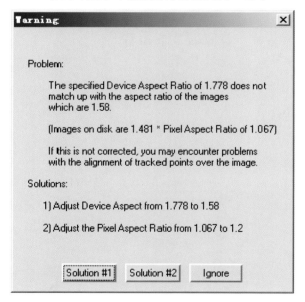
图 3-2-5　警告对话框

3.如果感觉影像被剪切掉了,选择 Solution 1 (Adjust Device Aspect)。 首先,Device Aspect Ratio 与从硬盘上测量的影像的参数值相匹配 (Image Aspect Ratio×Pixel Aspect Ratio)。然后打开有剪切选项的第二个对话框,参看下面的步骤:

或者,如果确保影像没有被剪切掉。选择 Solution 2（调整像素宽高比率）。Live 会调整像素宽高比率参数,解决影像和预定义胶片的不同。

4. 从第二个对话框中，选择 Solution 1（Crop the Width）或 2（Expand the Height）。

如果从第一个对话框(Solution−1)中,选择调整 Device Aspect，这个对话框会显示出来,因为在倒序中,也存在同样的矛盾。在第一个对话框中,设备宽高比率,以摄像机光圈为基础,与影像测量不相匹配。现在,它以影像测量为基础,不与摄像机光圈相匹配。Solution 1 or 2 用于调整摄像机光圈参数值与影像测量相匹配。Solution 3（调整 Device Aspect）可以简单地切换到第一个对话框中。

 注意

当调整光圈数值时,因为有自定义参数,Predefined Filmback 切换到 User 中。

第三节　设置影像缓存

使用 Setup Cache 控制面板,可以控制存储和打开影像所使用的系统内存,并能够显示在指定的内存位置中，所能容纳的影像帧数。当第一次播放这些影像序列时,可能会比较慢，因为 Maya 需要把这些影像调入到内存中,然后播放的速度会明显地提高。这种功能尤其对在 shotCamera 和 pointCenteredCamera 视图中的影像播放有好处。

操作：设置影像缓存

1.在 Maya 的 Live 中,打开 Setup Cache 控制面板,如图 3-3-1 所示。

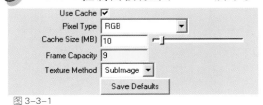

图 3-3-1

2.选择【Panels】>【Perspective】>【shotCamera】命令,切换到 shotCamera 视图面板。

3.试验不同的 Pixel 类型和 Cache Size 参数。

 要点

可以试验不同的设置，来获得最大的影像存储能力和可接受的影像显示,其中两个设置 RGB 和 RGBA,以完整的颜色来显示颜色，而最后两个设置 Indexed 和 Luminance 设置以减少的颜色来存储影像。影像的显示并不会影响跟踪计算,因为在跟踪计算时,会使用全部的颜色信息。

4.尝试使用不同的 Texture Method 参数。

要点

播放影像序列来查看那些设置是最快的。这些参数控制 Live 如何在 shotCamera 和 pointCenteredCamera 视图中播放影像。SubImage(子影像)在大多数 SGI 机器上,可以很好地执行,在其他的平台上,影像选项可以提高操纵跟踪盒的速度。如果 SubImage and Image(子影像和影像)执行错误,选择 None。

注意

开始影像次序会缓慢播放,直到保存在缓存中。

操作：Image playback(影像播放)

1. 使用时间滑块工具，可以在 shotCamera 或 pointCenteredCamera 面板中播放影像。当第一次播放影像序列时,操作会非常慢。要快速播放,先在播放按钮上单击,等待影像调入缓存,然后在时间滑块中拖拉即可。

2. 当关闭 Use Cache 参数或改变 Pixel Type 参数时,Maya 会清除内存中的影像。

操作:何时关闭影像缓存

在下列情况下关闭 Use Cache 项:

1. 在渲染时需要关闭影像缓存。

2. 使用一个 Movie 文件作为影像替代时。

3.使用大的、高分辨率的影像进行运动匹配,并且不使用替代影像时。但此种情况,建议使用低分辨率的替代影像。

4.在播放或操纵轨道栏出现错误时。记住如果关闭使用缓存选项,或改变像素类型设置,Live 会清除缓存中的影像。

注意

如果关闭 Use Cache 选项或改变像素类型,会清除影像。向前或向后移动一个帧刷新影像显示。

操作:其他 Maya 设置

除 Setup 控制面板中的设置外,还可以根据需要进行下列的设置:

根据拍摄的影像设置正确的时间单位,此设置是必要的步骤。

要点

必须在进行跟踪计算之前来设置时间单位。为了设置时间单位,可以选择【Window】>【Settings/Preferences】>【Preferences】命令设置时间计数种类。

选择 Display 菜单中的命令,并选择想要隐藏的界面选项,来最大化 Live 的工作空间,此项的设置是推荐的设置。

技巧

至少应该保留 Time Slider (时间滑块)和 Command Line(命令线),而其他的界面选项,可以关闭。如果要

快速实现此目的,可以单击【Display】>【UI Element】>【Hide UI Element】命令,然后选择 Time Slider 和 Command Line 命令,来保留时间滑块和命令线。

设置线性单位,此项是任意的。

默认的单位是厘米,如果测量数据是以不同的单位进行测量的,可以对默认的单位进行改变。选择【Window】>【Settings/Preferences】>【Preferences】,设置种类。

改变世界坐标轴系统,此项是任意的。

默认的世界坐标轴系统是 Y 轴向上的,但如果需要可以对其进行改变,保证在解算前对其进行改变。改变向上的轴,选择【Window】>【Settings/Preferences】>【Preferences】,然后设置种类。

注意

应用向上的 Z 轴操作,有下列重要性:

1.拍摄镜头时,可以在场景中向下看(负 Z 轴)。定向不影响解决办法,但必须旋转摄像机,使它面向前。

2. 创建的平面默认为 X-Z 方向,X-Z 方向与 X-Y 平面相互垂直。如果需要,可以旋转平面。

第四节　分离视频镜头的交织视场

交织的视频镜头很难用于跟踪,特别是摄像机运动的幅度比较大或速度比较快,因此在跟踪之前,最好分离影像中交织的视场,因为有多种分离视场的方法,此处只介绍最好的两种方法。

注意

当前并不推荐使用 Composer 来分离交织的视场,因为它在创建影像时,不是插值扫描线,而只是简单的成倍增加扫描线。

在所有的视场中插值扫描线

分离交织视场的最好方式是使用一个工具,来把偶数视场和奇数视场分离为单独的影像,然后使用邻近的扫描线来插值空缺的扫描线。

在 Windows NT 上——使用视频编辑或合成工具,通过用邻近扫描线插值空缺扫描线的方式来分离视场。例如,Maya Fusion(不是 Maya Fusion Lite Edition)中包含一个分离交织视场的功能。

在 IRIX 上——在 IRIX 平台上的 Maya 包括一个名为 delace 的工具,可以完成此种操作。例如,要分离一系列名为 sand.*.rgb 影像的交织视场,在 Shell 或 DOS 视窗中,输入下面的命令:

delace sand.rgb.0001 sand_fields.rgb.#

> **要点**
>
> 在进行跟踪之前,一定要在 Maya 中设置 Time unit(时间单位)为视场的速率,例如每秒 50 个场,可以使用【Window】>【Settings/Preferences】>【Preferences】,设置时间种类。在进行工作时,要记住使用的是单独的视场,而不是帧。

分离交织选项
在半个视场上插值扫描线

取消交织视场的另一个最好的方法是应用 dmconvert 设置(只能用于 IRIX 上)此设置将奇数视场和偶数视场分离开来,将其中一个视场放在一边,用相邻的扫描线插入空扫描线。

例如,当取消交织的 NTSC 视频镜头时,输入下列命令,并用原影像名替换 in.*.rgb。如果应用 PAL 视频,用 inil=even 替换 inil=odd。

dmconvert −v −f rgb −p video,inil=odd,il=none

−n out.####.rgb,start=1 in.*.rgb out.####.rgb

因为 dmconvert 将奇数视场和偶数视场的其中一个视场放置在一边,所以必须设置帧速率的时间单位,而不是设置场速率的时间单位。应用【Window】>【Settings/Preferences】>【Preferences】,设置时间种类。但在渲染时,可能需要用到视场速率。

解算帧速率的问题是:将运动插入到空缺区域中,它们的配合应是紧密的,但在放弃的场中可能会有 Slippge(滑移)。

第五节 创建替代影像

如果影像比较大,例如,每个影像的尺寸大于 1.5M,则最好创建这些影像的复制影像,称为 Proxy Images(替代影像),可以使用低分辨率的影像、movie 文件或亮度影像来作为替代影像。

操作:低分辨率的替换影像

1.如果创建低分辨率的替换影像,则要确保它们与原影像的尺寸比率是相同的。例如,原影像的尺寸是 2048×1536,而替换影像的尺寸是原影像的一半,则替换影像的尺寸应该是 1024×768。

2.如果要通过缩小原影像来作为替换影像,则可以使用 dmconvert 脚本程序,只适用 212ZX 机器。例如,如果要转换一个 D1 标准的 100 张视频影像(720×486)为 360×243 大小的替换影像,可以输入下面的命令:

dmconvert −f rgb − n full.rgb.####,end=100,step=1 − p video,size=360×243 full.rgb.#### half.rgb.####

其中 full.rgb 和 half.rgb 描述了开始和转换后的文件名,注意改变 end=100 来指定转换的文件数。

操作:亮度替换影像

亮度影像(只具有黑色和白色)也可以作为替换影像。

使用 imgcvt 工具创建亮度替换影像,适用于 IRIX 和 Windows NT,也可以选择 Setup Cache(设置缓存)控制面板的亮度,转换影像。这两项操作都会提高播放速度。两种操作的区别是如何转换影像。应用 imgcvt 方法,转换在硬盘上一次性完成。应用设置缓存控制面板,运行时在内存中发生转换,而且每当清除影像缓存时,都会重复发生一次转换。如果应用 imgcvt 设置,用下面的语句作为例句:

imgcvt −r 1−341 sand.#.rgb sand.#.bw

小结:

　　设置实拍影像是非常重要的，理解影像的大小匹配关系，是进行运动匹配的前提,如果设置实拍影像不适配,那么运动匹配的制作将失败，也就无法进行制作。

课外练习:

　　尝试各种参数设置实拍影像。

第四章 拍摄技巧

 学习目的

解决问题的一个快捷途径是先计划跟踪。此章中提供了一些关于如何分析镜头，选择良好的跟踪点，和计划约束操作的建议，也包括如何使电影与头脑中的运动匹配起来的建议。

第一节 选择良好的特征点

播放镜头，寻找要跟踪的特征点，因为这样可以提供更多特征点来产生精确的解算计算。可以使用 Playblast 或 Time Slider 播放镜头。

一. 什么样的特征点对解算器有帮助：

选择固定或在物体上固定的特征点。

要点

为了解算出摄像机的运动，特征点必须是固定的。为了解算出物体的运动，则特征点相对于运动的物体必须是固定的。例如，如果跟踪汽车的运动，在前灯上的特征点将是有效的，而不是使用一个在风中摇摆的天线上的特征点。

选择有助于完成后面约束操作的特征点。

要点

当进行解算时，可以使用约束来提高解算结果，因此最好选择有助于约束操作的特征点。约束的类型有：Plane——平面约束，例如地板、桌子或墙壁；Point——即一个 3D 空间中的位置，例如一个对应于参考几何体上的位置；Distance——特征点之间距离的测量和 Depth——深度，从一个点到摄像机之间的距离。

选择可见时间比较长的特征点。

要点

特征点可见，时间越长越好。例如，在一个 100 帧的实拍场景中，特征点的可见时间应该至少为 10 帧或 20 帧，同时要避免特征点进入和退出视图的速度太快。

特征点的分布应体现出场景的宽度、高度和深度。

要点

特征点不要聚集在场景的一个区域中，而应从各个区域的功能中吸取精华。

选择 3D 模型放置处的特征点。

要点

除在不同的区域中创建特征点外，如果你要输入 CG 模型，则在对应于模型的位置上创建特征点。

选择覆盖一定运动范围的特征点。

例如，如果摄像机缓慢的从左侧摇移到右侧，则选择中心处的特征点。

二.什么样的特征点对跟踪有帮助：

1.选择具有清楚的形状或高亮显示的特征点。

要点

为了锁定在目标上，跟踪器既有物体的形状，又要与背景有对比。可以跟踪人造的标志，也可以跟踪自然特征点，如树枝、岩石和视窗，具有可定义性的物体跟踪起来更容易。

2.尽量选择大物体。

要点

一般来说，跟踪大物体比跟踪小物体所得结果要更精确。但较大的物体因为模式的改变，可能会使跟踪器立刻衰退。

3. 避免选择从根本上改变形状的特征点。

4.避免在目标区域(框内区域)移动背景和加亮区。

例子:跟踪点

如图 4-1-1 所示，显示了跟踪点的一些原则。这些特征点是固定的，而且遍及了场景

的宽度和深度。在篱笆上有一个重点，此处是放置 CG 篱笆的地方。因为平坦的几何体可以允许应用平面约束。

图 4-1-1 显示了跟踪点的一些原则

第二节 应用拍摄技巧的约束操作

可以用 Live 的测量约束作为拍摄技巧，这些约束扩大了提供给解算器的信息。测量约束暗示测量地点，但情况不总是这样。具有测量数值的有限的几个约束，仍对解算器有帮助。

技巧

尽量将测量约束限制为一两种类型，因为约束类型如果过多，可能解算器无法找到解决办法。

例如，可以添加评估的距离约束(测量点间的距离)，以便建立缩放。另外还可以添加一两个平面约束，使点共面(例如一张桌子或墙)或近似共面(例如地面)。

应用 Infinite(无限定点)

另一个与测量约束有关的特征点是(infinite points) 无限定点。当将跟踪点指定为无限定点时，解算器将无限定点的位置看做距摄像机无穷远，当设定一个点无限时，计算器可以用它专门计算摄像机的运动，由此可定义的特征点有山、云或背景上的物体。

测量约束和摄像机移动

测量约束与摄像机移动的关系，与测量约束和摄像机运动的某些类型等同，但它们之间并没有直接的相互关系，测量约束和摄像机的运动，直接影响三维定位器的位置，这可以帮解算器推断出摄像机的移动，但并不能直接推断摄像机的

移动。对于数据不正确的镜头,约束可以帮解算器解算成功。

注意

Depth 约束是一个例外,它们通过定义摄像机与场景中点的位置,直接影响物体摄像机的运动。

第三节　存在问题的镜头

有些类型的镜头,解算起来是比较困难的,遇到难以解算的镜头时,可以查如表 4-1-1 所示,找到较好的解决方法。许多的技巧涉及到约束,完整内容参看第六章"解算"。

表 4-1-1　找到较好的解决方法

镜头类型	所出现的问题	解决方法
摄像机的旋转在三角架上的旋转	只应用轨迹点不能提供足够的信息	在解算控制面板中添加测量约束,尤其是 Depth
摄像机不旋转,沿轨道运动	特征点在画面中呆的时间不够长,从而不能提供有用的跟踪数据	选择镜头中心的特征点,同时使用取样测量约束,在 hallway 中,为地板和墙壁使用平面约束
快速摇摄,在轨道上移动	跟踪信息不够精确	如果快速摇摄影响最小的帧,可以手动微调摄像机
极小的摄像机移动	没有足够的信息使摄像机进行解算	如果 Live 不能为摄像机进行解算,它可能能够解算物体的运动
少数的跟踪点(雪、沙漠)	跟踪点太少,不足以完成运算	添加测量约束,减少需要的点数
摄像机镜头的推拉	很难辨别摄像机镜头的推拉和摄像机的运动	关闭解算摄像机面板上的静态参数使用 Locator Summary 面板,使两个或更多的 3D 点 Lnfinite,从而使这些点的可见时间足够长
非常长的镜头(1000 帧或更多)	在解算时需要太多的变量	跟踪和解算某一段,例如从 1-300 帧。一旦有了初始方案则可实施到其他的帧上

第四节　拍摄技巧

在拍摄过程中,为了与摄像机的移动相匹配,提出了以下建议供参考。

1.如果应用记号,要用不产生光或产生光很少的对称性物体,例如网球。由于 Live 能跟踪明显的自然的特征点,没有必要添加标记。

2.测量数据一般都很有用,但并不是必不可少的。强调出现 CG 元素区域周围的测量数据。

3.避免变焦距拍摄。解算器可以计算一些焦距长度的变化,但如果锁定焦距,效果最好。如果应用了变焦距拍摄,需要找出焦距参数值的范围。

4.如果从胶片中扫描影像,需要查找映象是否被剪切掉了,这样才能在 Setup 控制面板中指定剪切尺寸。

小结:

这些建议和解决方法,都是经过测试的,当然在此也有很多问题没有讲解到,但是主要问题是涉及到了,可以根据具体情况,寻找相应的方法解决。

课外练习:

练习中遇到问题,根据学习的知识找到解决的方法。

第五章　跟踪计算

学习目的

解决跟踪计算技术问题，学习跟踪计算的工作流程。

第一节　跟踪工作流程总览

一般在场景中的关键运动区域创建跟踪点，使用这些跟踪信息，解算器可以分析影像序列并计算出 3D 位置关系和摄像机或物体的运动。

操作：一般的工作过程

1. 观看影像序列，并选择特征点。

这一步骤对能否进行正确的跟踪计算是很重要的，因此将其单列出一章。参看第四章"拍摄技巧"的"选择良好的特征点"。

2. 跟踪计算所选择的特征点。

参看"跟踪一个特征点"和"解决跟踪计算失败的问题"。针对摄像机运动或物体运动进行的跟踪特征点都是一样的。

3. 决定是否进行解算计算。

在进行解算之前，不一定必须创建完美的跟踪效果。可以进行多步骤的跟踪和解算操作。例如，跟踪计算基本的特征点，最后进行一次粗略的解算计算，再添加更多特征点，最后再次进行解算计算，可以重复此步骤来提高解算的精度，参看"准备解算"。

4. 如有必要可解算和添加更多的特征点。

技巧

对于长镜头，如1000个帧，建议先对镜头的一个片段，如1—300个帧，进行跟踪解算，操作成功后，可以继续完成剩余场景的跟踪和解算。

第二节　跟踪一个特征点

无论解算摄像机的运动或是物体的运动，其跟踪特征点的过程是相同的。

注意

假设一次只跟踪一个点的情况,对于一组选择的点,也可以采用相同的步骤。

操作:跟踪任意一个特征点

1.打开 Track 控制面板。

2.将帧移动到要开始跟踪的地方。

提示

可以从第一帧开始向前进行跟踪计算,或从最后一帧向后进行跟踪计算,或从中心向两个方向进行跟踪计算。

3.单击 Track Box 工具来激活它。

4. 可以在 shot camera 视图中的特征点上,使用鼠标中键单击来创建特征点。Live 将在单击处创建一个跟踪盒。

提示

或者先创建一个跟踪盒,然后把它拖动到特征点上。可以在 Track 控制面板中,单击 Create 按钮来创建一个跟踪盒,或通过选择【Track】>【Create Track Point】来创建跟踪盒。

5.使用 pointCenteredCamera 视图来精确地定位跟踪盒。

技巧

要快速操纵跟踪盒,可以试着将设置缓存控制面板上的 *Texture Method* 改为影像或子影像,具体改成什么,取决于机器。

6.如果需要重新调整跟踪盒目标和搜寻区域的尺寸。如果不能确定,则最好保持其默认的尺寸。

7.检查 Use Current Frame 项,是否

中,此项把当前帧作为跟踪计算的开始点。

要点

一般情况下,跟踪计算的开始点,最好为当前帧。如果想要跟踪一定范围的帧,则可以输入帧的范围数值。

8. 设置 Tracking Direction 项为需要的参数:Forward、Backward 或 Bidirectional。

例如,如果从最后一帧开始跟踪计算,则选择 Backward 项。

9.单击控制面板上的 Start Tracking 按钮。

10.观看 Live 创建的 Pointblast 动画。

要点

当观看时,注意跟踪盒,没有脱离目标的最后一帧和跟踪盒滑离,或跳离目标的任意帧。

11.如有必要,继续进行跟踪计算来达到需要的质量要求。

操作:调节跟踪盒的尺寸

对于大部分物体,可以保持跟踪盒的默认尺寸。然而在某些情况下,为完成一次成功的跟踪计算,调整跟踪盒的尺寸是有必要的。实际上,如果要使跟踪盒保持在目标之上,可能需要多次调节或重新定位跟踪盒。在调节时,要注意下面的几个事项:

1.使用明显的图案:跟踪盒的内部方框,用来定义目标区域,应该紧密地包围特征点,并且在其中也应该包含一些背景来显示出目标的边缘,从而使目标图案更加地明显。

2.目标太小:如果目标太小,则跟踪计算会很快地失败,因为没有足够的背景来区别它们。

3.目标太大:如果目标太大,则图案的变化会很大,则跟踪计算也会很快失败。然而,跟踪大物体的精度,要比跟踪小物体的精度高。但要注意,在目标中不要包含太多的背景。

4.搜寻区域太小:如果搜寻区域,即跟踪盒的外部方框太小,则跟踪的物体可能会脱离搜寻区域,特别是当摄像机的运动比较快时。

5.搜寻区域太大:如果搜寻区域太大,则跟踪物体可能会跳到相似的区域中。尽量调节搜寻区域来避免这种情况。

第二部分 基础教学

第三节　　评估特征点的精度

检查特征点精度比较好的方式,是观察跟踪结束后,所创建的 Pointblast 动画。但可以在任何需要观看动画的时候,通过单击 Track 控制面板上的 Pointblast 按钮来创建动画。

还可以直接拖动时间滑块,在 pointCenteredCamera 面板中,观看影像的播放,当然这需要足够的内存才能够实现。

当观看动画时,寻找目标丢失或脱离的帧。一般的,如果要得到相当精确的运动匹配,则跟踪盒中心的交叉十字标志滑离目标的距离,不应该超过一个像素。

不要过多地依赖 Track Summary 来评估跟踪的质量。可以把它作为一般性的指导来对出现问题的区域做出大致的标志。参看"使用 Track Summary 面板"。

Trace lines(跟踪线)——可以使用跟踪线来评估跟踪计算的质量。跟踪线是以跟踪盒为起点的红色和蓝色的线。

红色的跟踪线是向后跟踪计算产生的,而蓝色的线是向前跟踪计算产生的。参看"跟踪显示面板"。

使用跟踪线可以评估跟踪运动的平滑程度和检查在相同的区域跟踪点,是否具有相同的运动。

第四节　　解决跟踪计算失败的问题

跟踪失败意味着在跟踪结束之前,就停止跟踪或者跟踪器丢失了跟踪目标。跟踪计算失败是跟踪图案随摄像机运动而发生变化的自然结果。可以在 Track Summary 中看到这种情况的图表表示,如图 5-4-1 所示。

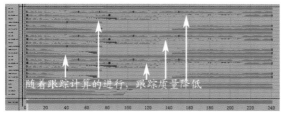

随着跟踪计算的进行,跟踪质量降低

图 5-4-1　跟踪质量降低

在 Live 中,有几种解决跟踪失败的方法,这几种方法都要涉及 Track 控制面板中的几个参数。

1.Tracking Direction (跟踪方向)——可以使用不同的跟踪方向来覆盖失败的跟踪数据,或者从其他的帧来重新开始跟踪计算。

2.Stop Tracking On(停止跟踪的位置)——此项参数设置跟踪计算停止的位置,使用此参数,可以避免覆盖有效的跟踪数据。默认的,此项设置为 End Of Sequence 项,此时 Live 会覆盖所有的跟踪计算。如果不想覆盖有效的跟踪数据,则可以设置此参数为 Better Frame。还可以设置跟踪计算停止的具体位置,此时可以使用选择 User Tracked Frame 项。

纠正选项

操作:从相反的一端开始跟踪计算

1. 使用这种方式,Live 从影像序列的另一端开始跟踪计算,直到跟踪数据在帧范围的中心处会合。

例如,如果第一次是向前跟踪计算的,则设置当前时间为帧范围的最后一帧处,要保证特征点在视图中是仍然可见的,然后开始跟踪计算。

2. 为了避免覆盖有效的轨道数据,选择 Stop Tracking On to Better Frame 或 User Tracked Frame。要避免超过前向和反向跟踪数据会合的位置,还可能要重新定位跟踪器。

操作:重新双向跟踪

1. 如果跟踪从影像序列的中间开始,选择 Bidirectional 作为跟踪方向。Bidirectional 是从选择的帧处向前、向后跟踪。如果跟踪向后移动的特征点失败时,这一方法也是很有用的。

2.为了避免覆盖有效的跟踪数据,将 Stop Tracking On 改为 Better Frame 或 User Tracked Frame。

操作:重新调节目标或跟踪盒的尺寸

如果跟踪盒的目标或搜寻方框的尺寸不合适,则跟踪计算容易失败。参看"调节跟踪盒的尺寸"。此时,需要在失败的帧上，重新调节目标或搜寻方框的尺寸，并重新开始跟踪计算。

要点

在调节时要注意使跟踪盒的交叉十字，仍然定位在特征点的相同位置上。

技巧

在跟踪盒中包括一些额外的、唯一的背景可避免跳动到类似的、邻近的特征上。

操作：手动定位跟踪盒

在某些情况下，可以自己定位跟踪盒。例如，如果跟踪的物体变得模糊，然后又变得清晰，这时可以在模糊的帧上自己定位跟踪盒。当目标变得清晰时，再重新进行跟踪计算。在操纵跟踪盒时，需要单击 Track Box 工具，这样才可以操纵跟踪盒。Track Summary 将画一条蓝线，用于指示已在给定帧上定位的跟踪盒。

操作：调整跟踪盒选项设置

如果上面所述方法都不起作用，参看"跟踪选项面板"中的其他设置，以提高跟踪质量。

从跟踪数据中删除帧

如果特征点从视图中消失，或跟踪质量太差，应该删除这些帧的跟踪数据。例如，特征点被其他物体阻塞和移出视图。

即使这些帧在整个跟踪帧范围的中心，也要进行删除。如果不删除，可能会对最后的结果有负面影响。

操作：删除跟踪数据

1.在 Track Summary 中放大特征点的跟踪数据。

按住【Ctr】和【Alt】键，并在缩放区域上，从左向右拖动可以放大某个区域的跟踪数据。

2.选择出现问题帧的范围，如图 5-4-2 所示。

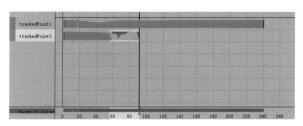

图 5-4-2　选择出现问题帧的范围

3.从 Track Summary 的下拉菜单，或右键单击弹出的菜单中，选择【Edit】>【Delete Region】命令来删除跟踪数据，如图 5-4-3 所示。

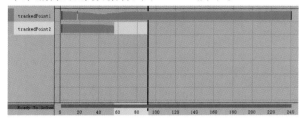

图 5-4-3　删除跟踪数据

删除和设置跟踪点的状态

可以永久地删除跟踪点或临时使跟踪点变为非激活状态。如果要删除跟踪点，可以使用键盘上的【Delete】键或【Edit】>【Delete】命令，或使用 Track 控制面板上的【Delete】按钮。如果要使跟踪点处于非激活状态，可以取消 Track 控制面板上的 Active 项，如图 5-4-4 所示。

Name	trackedPoint2	
Location	527.1756	54.6294
Target Size	15.0000	15.0000
Search Range	10.0000	10.0000
Variance	1.0000	
Active	✓	

图 5-4-4　取消 Track 控制面板上的 Active 项

删除一个跟踪点，将从所有的解算方案中，去除与之相关的定位器。如果删除的跟踪点使用了某些限制，则 Live 会强迫这些限制处于非激活状态。在这种情况下，需要重新创建限制。

注意

如果删除跟踪点，然后选择【Edit】>【Undo】，那么可能需要重复【Undo】命令，取消与跟踪点相关的三维定位器的删除操作。

第五节　过滤交织镜头的跟踪点

可以使用 Filter 命令来平滑 Y 轴运动曲线上的差异。这些差异主要是由于跟踪计算，带有视场的影像所引起的。Live 带有一个 Low pass（低通）滤镜，使用此滤镜，可以过滤高频率的变化。

操作：过滤跟踪点

　　1.选择一个或多个跟踪点。
　　2.选择【Track】>【Filter】命令，则此滤镜会对整个跟踪点实施滤镜效果，而不是某个选择的区域。

第六节　使用 Track Summary 面板

此面板形象地描述了跟踪点在整个跟踪范围内的质量。使用它可以：

　　1.预览整个工作过程。
　　2.标志某个跟踪点出现问题的区域。
　　3. 删除某些帧范围内的跟踪数据。参看"从跟踪数据中删除帧"。

Track quality（跟踪质量）——跟踪质量表明了某个跟踪点在整个跟踪范围内的质量。不同的颜色代表了不同的跟踪质量。

　　4.Green（绿色）：绿色代表比较好的跟踪质量。
　　5.Yellow（黄色）：黄色是一个警告。
　　6.Red（红色）：红色是强烈警告。
　　7.Bluelines（蓝色线）：蓝色线显示的帧是手动定位跟踪盒的帧。

跟踪质量是通过计算开始目标和后面每一帧中目标之间平均的像素差别来决定的。当特征点改变形状和尺寸时，质量就会发生衰减，在 Track Summary 面板中的变化是绿色区域会逐渐变小。

要点

颜色指示器只可作为一个向导，必须评估跟踪点的 Pointblast，确保跟踪点的质量。

Per-point solvability（每点的解算性）——指示出跟踪点对整个场景解算计算的影响大小。计算指示时，Live 评估跟踪点所有帧上的物体或摄像机的运动范围。Live 从跟踪点所获角度测量越多，点对场景的解算性影响就越大，跟踪点的颜色也变得越绿。

Ready to Solve bar （准备结算）——形象地表明了整个场景的可解算性。

视图操作命令

使用 Track Summary 面板中的浏览命令，可以进行视图操作。这些命令在面板中的 View 或右键单击弹出的菜单中。参看 "视图面板命令"，以更好使用视图操作命令。

Frame All——显示视图中的所有点和帧范围。

Jump To Start——跳到选择范围的第一帧。

Jump To End——跳到选择范围的最后一帧。

Update During Drag （在拖动时进行更新）——当此选项打开时，在 Track Summary 面板中，拖动某些帧时，其他视图面板也会更新；当选项处于关闭状态时，只有在改变帧的情况下，才更新其他的视图面板。

第七节　准备解算

在进行解算之前，不一定必须得到非常完美的跟踪数据。Live 推荐多次进行跟踪和解算计算。也就是，跟踪基本的特征点，然后进行比较大致的解算计算，接着添加更多的跟踪点来提高解算的精确度。

使用 Track Summary 控制面板，有助于决定是否进行解算计算。参考下面的标准：

1.在整个时间范围内跟踪点的数目：跟踪点应该覆盖整个影像序列。参看"跟踪点的数目"。

2.Ready To Solve 栏和 per point solvability 指示:这些栏目应该显示比较深的绿色。

3.在跟踪计算中出现错误时:如果在跟踪数据中有一些红色,则仍然可以进行解算,但要保证在播放这些红色的区域时,跟踪盒仍然在目标之上。如果跟踪盒脱离目标,并且不能纠正,则此时需要删除这些区域。

跟踪点的数目

在 Live 中,使用的跟踪点的数目取决于下面的几个因素:

1. 一般的,使用 5 至 10 个跟踪质量比较好的跟踪点,就可以进行比较粗略的解算。

要保证这些跟踪点,在任何时间在视图中都是可见的。

2. 如果某些跟踪点并不是在任何时间都是可见的,则需要 10 个以上的跟踪点。比较长的镜头,通常需要更多的跟踪点。

3.摄像机运动比较小的拍摄,要比摄像机运动比较大的拍摄需要更多的跟踪点。

4.通过使用测量约束,例如摄像机的深度或跟踪点之间的距离,可以减少跟踪点的数目。

5.解算需要的精度越高,则需要跟踪质量比较好的跟踪点的数目也越多。如果跟踪点多于 40 个,可能会出现负影响。

第八节 跟踪显示面板

Track Display(跟踪显示)控制面板,如图 5-8-1 所示。

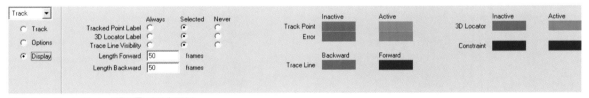

图 5-8-1 Track Display(跟踪显示)控制面板

可以完成下列功能:

1.在视图中,显示每个跟踪点的名称。

2.在每个视图中,显示每个 3D 定位器的名称。

3.显示跟踪点运动的跟踪线。跟踪线表明跟踪点在任意帧上的向前和向后运动。

如果要打开或关闭跟踪点的显示功能,则需要打开 Display 控制面板。对于每种显示功能, 都有三种显示类型:Always (总是显示);Selected(当被选中时才显示);Never(不显示)。

使用 Length Forward 和 Length Backward 项,可以控制跟踪线的长度。

跟踪点的颜色

还可以设置跟踪点的颜色和其他的显示功能。双击颜色栏,打开颜色选择器。在设置颜色时,可以设置选择项目,在没有激活时的颜色 Inactive color(非激活颜色)和 Active color(激活颜色)。

下面的显示功能包括:

Track Point (跟踪点)——除了错误状态以外的所有时间内。

Error(错误)——设置一个跟踪点在错误状态下的颜色。例如,当它的跟踪质量比较差时显示的颜色。

Trace Line(跟踪线)——设置跟踪线使用的颜色。一条是向后的线,一条是向前的线。

3D Locator(3D 定位器)——设置 Live 创建的 3D 定位器所使用的颜色。

Constraint(约束)——设置物体和描述约束的线的颜色。

第九节　跟踪选项面板

在 Track Options 控制面板中的参数,影响跟踪点的跟踪计算。如果在进行跟踪计算时碰到某些问题,可以使用这些选项进行解决,如图 5-9-1 所示。

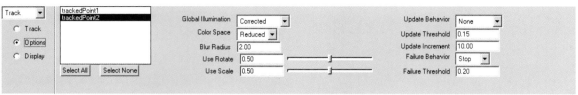

图 5-9-1　Track Options 控制面板中的参数

Point List(点列表)——在此列表中,包含所有的跟踪点。

Select All(全选)——使用此按钮,可以自动选择列表中所有的跟踪点。

Select None(全不选)——使用此按钮,可以取消对任何跟踪点的选择。

Global Illumination（共用照明）——当设置为 Corrected 项时,Live 会自动纠正影像中灯光的变化。

例如, 如果在某些帧中显示有阴影或灯光, 则跟踪器会补偿灯光的变化。当设置为 Not Corrected 项时,Live 则不会做出这种补偿;如果想要跟踪器使用比较精确的图像匹配,则可以设置为 Not Corrected 项。

Color Space(颜色空间)——使用此项,可以选择 Full 和 Reduced 两种颜色模式。Full 颜色模式, 有助于跟踪器区别具有相同的形状,但有不同颜色的目标。Reduced 有助于跟踪器区别一些细小的特征,如在黑褐色地面上的暗绿色树叶。

注意

如果应用删除了一个颜色通道的影像, 例如蓝色通道,Reduced 设置会产生错误。在这种情况下,应用 Full 设置。

Blur Radius（模糊半径）——在默认状态下,跟踪器模糊影像补偿冲突或干扰。

例如胶片颗粒。不能实际看到模糊,但它可以帮助跟踪器锁定在目标上, 可以调整模糊半径,控制模糊的数量。例如,如果跟踪一个微妙的特征点,模糊的默认数量可能很多,参数值此时模糊无效。

Use Rotate、Use Scale （使用旋转和缩放）——使线框自动调整形状,补偿目标影像的旋转和缩放, 这一功能可以帮助克服大多数跟踪失败。原因是:跟踪时,目标形状会发生改变。调整 Use Rotate 和 Use Scale 控制旋转和缩放的数量,如果跟踪器脱离了目标,跟踪盒将根据设置进行调整,以更好地吸附在跟踪点上,是有帮助的。

Update Behavior （更新方式）——控制跟踪器更新目标图像的方式。

None(无)——当选择此项时,跟踪器不会对目标图案的更新作出反应, 而保持初始的图像。

Incremental （增量）——在经过指定的帧数之后, 跟踪器会对目标进行新的吸附。使用 Update Increment 项,可以设置经过的帧数。

Smart （精确）——当选择此项时,Live 会给出一个阈值,当目标图像变化的数量超过此阈值时, 则跟踪器重新对目标进行吸附。此阈值,可以使用 Update Threshold 项设置。

Update Threshold(更新阈值)——当跟踪图像更新时,可以指定阈值。Update Behavior 必须是 Smart。

Update Increment(更新帧数)——当跟踪图像更新时,可以指定帧数。Update Behavior 必须是 Incremental。

Failure Behavior(失败行为)——此项控制当跟踪器跟踪失败后所作出的反应。

Stop(停止)——当跟踪失败后,跟踪器停止跟踪。

Ignore(忽略)——当跟踪失败后,跟踪器并不停止,而是继续寻找最接近的匹配。

Predict(推算)——当跟踪失败后,跟踪器并不停止,而是通过推算跟踪点的运动曲线继续进行跟踪计算。

Failure Threshold (失败阈值)——此项设置原始的目标和后面帧中目标图像之间差别的数量。当跟踪器不能发现阈值之内的匹配时,跟踪会失败。

第十节　输入跟踪点

如果镜头以前曾跟踪过,可以调入跟踪数据,使它遵循一种指定的格式。参看"跟踪点文件格式"中有关内容。

操作:调入跟踪点文件

1.选择【Track】>【Import Track Points】命令。

2.在打开的视窗中,选择跟踪点文件。

3.单击 Open 按钮,调入选择的文件。

第十一节　输出跟踪点

可以把跟踪点输到文件中,这样即使开始一个新场景,在想应用已创建的跟踪数据时,就可以调入文件重新应用这些跟踪数据了。例如在 7.0 版本中使用 6.5 版本的文件。

要点

必须先输出跟踪点,然后将其输入到一个新场景中。

操作:将跟踪点输出到文件中。

1.打开 Export 对话框。选择【Track】>【Export Track Points】命令,则会弹出一个对话框。

2.进入保存文件的文件夹,然后输入跟踪点的文件名称。

第十二节　跟踪点文件的格式

跟踪点的文件格式如下:

\# Size   [image width]   [image height] [device aspect]\# Pixels

\# Name [pointname][pointnumber] [framenumber] [xlocation][ylocation] [error]

\#Size——如果以像素为单位指定坐标,第一行必须以像素为单位,指定影像的尺寸。

Device aspect = (image width/heigth) * pixel aspect ratio

\# Pixels——如果用像素指定坐标,\# Pixels 必须是第二行。

\# Name——每个特征点的第一行指定它的名字。

Pointnumber——文件中的特征点数。对于每个跟踪点其必须是增量。

Framenumber——当输入特征点时,Live 将数值添加到初始帧的数值中,用于计算帧的数目。在 Setup 控制面板中指定初始帧。

xlocation, ylocation——在像素坐标或规格化坐标中定位。如果应用像素坐标,X 坐标从0到影像宽度间改变,Y 坐标从0到影像高度间改变,(0,0)点位于影像的左下角处。

如果应用规格化坐标,X 坐标从−a 到+a 间改变,这里的 a=(图像的宽度/图像的高度)* 像素宽高比,Y 坐标从−1 到+1 间改变。

Error——此参数用于测量跟踪错误,可选可不选,参数值的范围从0(完全匹配)到1(毫不匹配)。

跟踪点文件范例

\# Size 720 486

Name left1

0 0 −0.7585931914 −0.5294952326 0

0 1 −0.7586799904 −0.5300096425 0.002832949162

0 2 −0.7585931849 −0.5313921014 0.01325005293

0 3 −0.7580434163 −0.5337390664 0.004410386086

0 4 −0.757522583 −0.5358931302 0.01897031069

0 5 −0.7574936478 −0.5389473998 0.01043349504

0 6 −0.7574936478 −0.5436413298 0.0144148469

0 7 −0.757204296 −0.550392873 0.01106923819

0 8 −0.7565966571 −0.5589769779 0.01841163635

0 9 −0.7534427219 −0.570551052 0.01649397612

0 10 −0.7526325367 −0.5828002804 0.01214426756

Name left2

1 0 −0.7549460687 −0.085601414 0

1 1 −0.7552932739 −0.08663023646 0.005688428879

1 2 −0.7553800795 −0.0879483949 0.01128107309

1 3 −0.7542226721 −0.09007030848 0.005126774311

1 4 −0.7536439684 −0.09244942371 0.01110613346

1 5 −0.7534414221 −0.09543939284 0.01303964853

1 6 −0.7532967461 −0.1000047221 0.01685106754

1 7 −0.7530073943 −0.1064990636 0.01059484482

1 8 −0.7522840147 −0.1151796192 0.007831633091

1 9 −0.7516474406 −0.1260463887 0.006545543671

1 10 −0.7499402647 −0.1374597118 0.01393806934

Name left3

2 0 −0.7504397714 0.2400678146 0

2 1 −0.7506134033 0.2385246371 0.01199233532

2 2 −0.7506134033 0.2374315301 0.01194387674

2 3 −0.749629607 0.2357918696 0.004064679146

2 4 −0.7487615515 0.2332520034 0.01138979197

2 5 −0.7486168755 0.2304227853 0.01261204481

2 6 −0.7484432644 0.2258896062 0.0166606307

2 7 −0.7481828478 0.2194917153 0.007826387882

2 8 −0.7475173385 0.211004061 0.004957020283

2 9 −0.7460416441 0.1997836392 0.007061779499

2 10 −0.7449131718 0.1893348223 0.0135897994

小结：

　　着重讲解跟踪计算的技术问题和解决问题的方案，使其更好地理解跟踪计算原理。

课外练习：

　　根据最后提供的跟踪点文件范例，练习跟踪计算。

第六章 解算

 学习目的

深入学习解算技术，更好地掌握运动匹配制作。

第一节　关于解算计算

在有了足够的跟踪数据后,可以开始进行解算计算。解算过程包括下面的部分:

1.为跟踪点创建 3D 定位器。

2.计算围绕定位器的摄像机的运动,或者计算围绕摄像机的定位器的运动,可以切换这两种类型的运动。

3.根据摄像机的约束,调整摄像机的焦距。

Live 解算器,以清楚的步骤进行解算,可以独立执行这些步骤, 也可以在一个自动程序中执行。解算器是以 root frames(根部帧)为基础的,根部帧是从镜头中选择的最重要的帧,可以选择自己的根部帧。

第二节　解算流程浏览

取得一个 solution(解算方案)是一个反复的过程。无论解算摄像机的运动,还是解算物体的运动,其工作过程都是相同的。主要步骤包括:

1.运行解算器。

2.评估解算方案。

3.提高解算质量。

4.再次进行解算。当进行了提高操作后,需要再次解算来观察结果;当结束时,可以输出解算的摄像机和 3D 定位器,以便于其他软件的使用,如 Discrect 软件。

参考几何体工作流程

如果有场景参考几何体,可以在解算前,创建点约束,用 Maya 吸附工具,将几何体吸附到点约束上。

另一工作流程是先解算, 然后应用 Locator Summary 面板中的锁定设置。参看"选择测量约束"。

应用解算控制面板

解算控制面板用于执行解算过程。它包括解算列表,列表可以帮助管理操作。在解算列表中,列出了所有的解算结果,这样可以对解算结果进行比较,如图 6-2-1 所示。

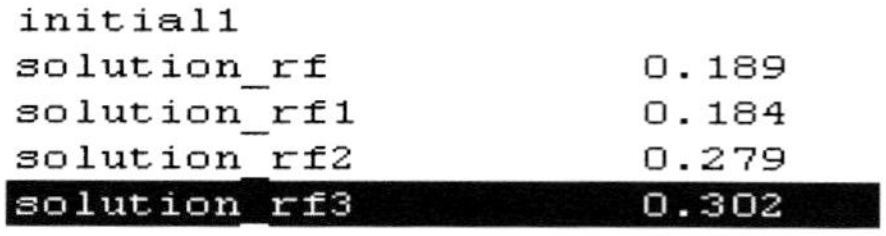

```
initial1
solution_rf          0.189
solution_rf1         0.184
solution_rf2         0.279
solution_rf3         0.302
```

图 6-2-1　列出了所有的解算结果

提示

如果发现问题,可以再次运行解算器,此时可以使用交互的步骤来运行解算器,从而可以节省时间。

如图 6-2-2 所示,是解算器控制面板主要区域的概述。

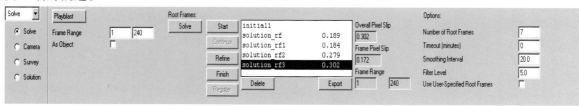

图 6-2-2　解算器控制面板主要区域

第三节　运行解算器

可以使解算器自动运行,也可以以交互的步骤运行。每种方式都使用相同的算法,但使用交互的步骤,可以对解算过程拥有更多的控制。

自动运行:这是一种比较简单的方式,因为解算器可一次完成所有的计算。

交互的操作:当使用这种方式时,可以控制运行其中一个步骤,并可以重复运行某个步骤,并可以看到运行的结果。

操作:自动运行解算器

1.打开 Solve 控制面板。

2.检查 Frame range(帧范围)是否正确,如果必要可重新设置此范围。

3. 单击 Root Frame 标题之下的 Solve 按钮。

提示:当解算结束后,解算方案的名称 solution_rf 会显示在解算方案列中。

4. 如果要转变物体围绕某一个固定的摄像机运动的解算方法,可以选择面板中的 As Object 项。

5.评估解算方案来寻找问题。

操作:交互方式运行解算器

遵循原则:

尽量使用正常的顺序:

Start、Continue——如果想使 Start 阶段执行更长。

Refine、Finish 和 Register——如果添加或改变测量约束。有关步骤的内容参看"Root Frame 步骤"。

在每个步骤之间,评估解算的结果,并进行需要的提高操作。

如有必要可重复某些步骤。

随时单击 Register 按钮,来查看在解算方案中测量约束的效果。

注意操作步骤前后的变化。因为明了操作的目的,并重复某些步骤,如添加点或约束将有助于以后发现问题。

注意在进行下一个步骤之前,当前工作的解算方案要被选中。Root Frame 解算器,使用选中的解算方案作为开始点。

例如,在单击 Refine 按钮之前,选择 guess#。

Root Frame 步骤

如表 6-3-1 所示,是 Root Frame 步骤的目的和何时运行它们。

表 6-3-1　Root Frame 步骤

步骤	目的	解算器运行的时刻
Start(开始)	创建一个初始的猜测	在解算开始和无论何时需要一个新的猜测时,可以运行此步骤。
Continue (继续)	Start 步骤之后,可以继续上面步骤所创建的猜测过程。(此项是随机的步骤)	如果需要解算器考虑其他的可能性,可以在 Start 步骤之后,立即运行此步骤。
Refine (优化)	此步骤是推荐的步骤,可以提高猜测的精度。	可以重复此步骤直到取得精确的解算方案。
Finish(结束)	此步骤是必要的步骤,可以把解算方案实施到所有的帧中。	当得到所要精度的解算方案后,可以运行此步骤,但此步骤只需运行一次。
Register (记录)	记录整个解算方案到测量限制中。	无论何时想要查看测量约束对整个测量约束的效果时,可以运行此步骤。（如果想使约束影响解算的形状,执行优化步骤或开始步骤）

第四节　解算器计算解算方案的过程

通过这一部分可以知道解算器是如何作用的, 较好地理解解算的每个步骤:Start、Continue、Refine 和 Finish。

一般解算器将匹配运动作为许多方程和变量来处理,每个帧上的二维跟踪点设置两个方程(关于 X 和 Y 的方程)和三个变量(X、Y、Z)。另外,还有摄像机移动的变量、焦距的变量,如果应用约束,还有更多的方程。

解算器用数学表达式, 分析寻找最适合未知变量的参数,以完善方程。方程通常没有唯一解,因为方程的数量多于变量的数量。

如果解算器在每个帧上执行解算过程,方程和变量的数目都是相当庞大的, 为了便于管理解算过程,同时使解算更精确,解算器减少了帧数, 仅解算 root frames。root frames 解算完毕后,解算器推断其他帧的解算结果。

当选择 root frames 时,解算器代表摄像机的运动。因此,当摄像机移动时,root frames 的数量会增多,root frame 选择过程涉及到跟踪点的整个运动。

检测数学分析是否会成功

解算器通过检测三维跟踪点与二维跟踪点排列的情况,可以检测数学分析是否会成功。解算器在解算控制面板上的 Overall Pixel Slip 区域中,汇报二维和三维跟踪点间的平均像素。

Start 和 Continue 步骤

在 Start 过程中, 解算器通过将跟踪点投影到以不同的角度放置的平面上 , 为每个 root frame 创建三个猜测。然后解算器最优化各个猜测,最优化过程是一个数学过程,用于寻找最适合方程中未知变量的一套参数, 继续最优化过程,直到解算 converges(会聚)在一个最初的解决方案上。会聚指解算器找到严密的解算方案,或检测出程序错误。无论会聚是两种过程中的哪一种过程,解算器都会将最佳解算方案传递到 Refine 步骤上。

如果解算器不能在最初猜测的基础上进行会聚,它会创建出更多的猜测,如果会聚失败,Start 阶段会最终会停止。但可以单击 Continue,命令解算器继续创建更多的猜测。

Refine 步骤

在此步骤中,解算器进一步优化会聚的解算方案,使解算方案尽可能精确。此过程是为下一步 Finish 做准备的,在 Finish 步骤中,解算从 root frames 推断出所有的帧。

Finish

在完成 Start 和 Refine 步骤后 , 可以得到一个合理的精确的解算方案 , 但它只是在 root

frames 上的解算。解算器必须用解算推断出所有的其他的帧。它通过在所有的帧上用 root frame 解算方案解算和最优化相同的方程，作为最初的猜测，直到所有的帧都有了方程的最优化参数值后，此过程才停止。最后所有帧的三维定位器和摄像机都放置在合适的位置。

Smoothing and Filtering（平滑和过滤）

在 Finish 步骤中，解算器也执行平滑和过滤操作。这些过程访问 root frames 解算上所固有的潜在的摄像机移动问题。应用 root frames，解算器只能单独考虑跟踪点，而不考虑相邻帧上摄像机的定位，这会在摄像机移动中，创建出不需要的粗糙和干扰。

平滑，用于纠正在摄像机视图中跟踪点隐现所引起的摄像机运动曲线的移动问题。如果跟踪点在 root frames 间变得不可见，解算器只有到 Finish 步骤中才能对其进行因子分解。调整跟踪点可见性，发生改变的帧前后的曲线，从而抵消这种效果。可以控制解算器控制面板上 Smoothing Interval 设置的平滑范围。参看"调节 Smoothing Interval 参数"。

过滤纠正摄像机运动解算中的有害抖动。抖动发生在解算器方程的解算方案不确定的帧的周围。root frame 解算过程有增大这种算术不明确的趋势，在摄像机的运动过程中创建抖动。可以在解算控制面板上的解算水平控制处控制过滤的量。参看"调节 Filter Level 参数"。

Registration（记录）

如果只用跟踪点，则解算器不能计算场景的绝对大小和它的定位方式。例如，场景如果是一所房子，可以使房子向一侧倾斜或直立，解算器不会对其进行计算。

解决这些模糊时，解算器采用测量约束，并执行记录过程。记录即为不改动结构，以整体的形式定向整个解算方案，结果摄像机和三维跟踪点在透视图中，看起来好像发生了移动或缩放，但从摄像机上观察，三维跟踪点仍在原处。

Start 和 Refine 步骤中的记录，引入更多

的方程进行优化，这也是一个独立的记录过程。此步骤可以反复添加测量约束，并在整个解算方案中看到结果。它也可以处理 Registration Only 限制。参看"使用 Registration Only 选项"。

Summary（总结）

提供给解算器的所有的输入都变成方程和变量。解算器的任务是为变量寻找一套最适合方程的参数。大多数寻找过程发生在 Start 步骤里，也可以随机地发生在 Continue 步骤里。其他的步骤都尽量使解算方案更加精确。

第五节　评估解算方案

一般的解算器首先产生粗略的解算方案，当做出提高操作后，会逐步优化解算方案。

操作：评估一个粗略的解算方案

1. 开始时，注意一下解算控制面板上 Overall Pixel Slip 的数值。

技巧

在测定解算方案是否会成功时，解算器计算像素 Slip（滑动），此距离为跟踪点与它的定位器间的像素距离。观察一下 Frame Pixel Slip 区域，看一下所有给定帧的平均像素 Slip。如果怀疑某一帧有问题，可以通过参数值确定其是否真有问题。

注意

添加跟踪点和测量约束，会少量地增加 Overall Pixel Slip。

2. 在透视图中，查看相关的 3D 定位器的放置和摄像机或物体的运动。

技巧

定位器间及定位器和摄像机间都应有相对正确的位置，缩放和定向世界网格，没有必要的关系，然后可以使用测量约束，把解算结果记录到世界网格之上。

3.在图表编辑器面板中检查解算曲线。

4.对于颜色大多数为黄色或红色的质量图表中，为三维定位器检测 Locator Summary 面板。

5. 对于低定位质量的特征点，在 Shot camera 视图中，检查 3D 定位器和跟踪点的对齐情况。

操作:评估一个优化的解算方案

有一定精度的解算方案后，应该寻找解算方案中出现的问题，此时可以使用下面的步骤。如果需要，也可以使用相同的步骤评价粗糙的解算方案。

1. 在场景中输入或创建一个 3D 物体来作为参考。

2.使用下面的方法来播放解算方案的动画:

单击 Solve 控制面板中的 Playblast 按钮，打开一个动画播放视窗。或者单击 Maya 主视窗底部的动画播放按钮来播放动画，当然这需要足够的内存。或者最佳的，也可以

渲染一系列的帧，最后合成影像和它们的 Matte 信息,然后把它们存储在 Co,或其他的数字硬盘上。这是对解算方案评估精度比较高的一种方式。

第六节　浏览 Locator Summary 面板

解算器包括 Locator Summary 面板，面板用图表表示定位器和帧滑动质量。应用 Locator Summary 面板,可以评估解算器创建的三维定位器和二维跟踪点的匹配程度。应用此面板,还可以设置锁定点和无限远点。

Locator quality(定位器质量)——用图表显示每个定位器和它相应的跟踪点间的像素滑动量。像素滑动是跟踪点和它的定位器间,以像素为单位的距离。在 Track Summary 面板中,绿色代表定位器的质量好,黄色是警告颜色,红色是强烈警告颜色。

Frame Slip(帧滑动)——用图表表示每一帧上所有定位器的平均像素滑动。像素滑动是跟踪点和它的定位器间以像素为单位的距离,图表与解算控制面板上的 Frame Slip 区域相对应,使用图表定位质量。

第七节　解算方案

这一部分主要是对提高解算方案质量的一些方法作总体性的介绍，主要是针对一些共性的问题。

添加和修改跟踪点

跟踪点是应该尽量提高的第一个区域。首先，寻找在跟踪过程中出现的目标脱离，或跟踪点叠加的跟踪点，然后重新进行跟踪计算，或者删除此跟踪点跟踪数据中出现问题的区域，然后寻找在影像序列中需要更多跟踪点的区域，进行添加跟踪点。

删除不正确的跟踪数据

不正确的跟踪数据同跟踪不全的数据一样

会产生问题。保证删除所有的跟踪点不明显或跟踪点不在摄像机视图中的所有的帧，使用【Edit】>【Delete Region】。

其他选项还包括：

1.使一个跟踪点处于不激活状态。在某些情况下，可能需要临时去除跟踪点来实验它是否有助于解算计算，此时，可以关闭 Track 控制面板上的 Active 按钮。

2.减少跟踪点的权重。使用 Track 控制面板上的 Variance 参数，可改变一个跟踪点的权重。默认情况下,解算器根据跟踪点的跟踪质量来决定它的权重,如果想要减少跟踪点的权重,可以使用比较高的 Variance 数值,例如5 或 10。

添加约束

Root Frame 解算器,可以以约束的形式来使用其他的信息。在 Live 中有两种类型的约束:Camera 约束和 Survey 约束。

测量约束主要定义空间关系,特别是当影像序列中的某些区域中,跟踪数据比较小时。

例如,如果在影像序列的某部分中,只有三个跟踪点是可见的,但这三个点是共面的,此时可以使用一个平面约束。

摄像机约束控制摄像机的焦距、移动和旋转。焦距约束是比较常用的约束,参看"创建焦距约束"。摄像机移动约束主要用于摄像机被固定在三脚架上进行拍摄的情况。摄像机的旋转约束会被偶尔用到,因为它只能一次约束所有的三个轴。一般可以使用移动和旋转测量约束来提高摄像机的运动。参看"创建摄像机的移动和旋转约束"。

锁定特征点

另一个约束功能称为"锁定特征点"。在 Locator Summary 面板中,可以用到这一功能。锁定特征点与特征点约束是相同的,但创建锁定特征点更简单,它们主要用于吸附三维定位器。

无限远特征点

应用 Locator Summary 面板,可以将特征点指定为距摄像机无限远,这样解算器可以专

门用它计算摄像机的运动,此功能对于变焦距拍摄非常有效。

排除矛盾的约束

如果添加多个测量约束,要注意它们不会互相冲突。如果这些约束是冲突的,则 Live 会衡量这些约束,然后进行折中。

例如,如果一个点被约束在原点 0、0、0,但同时又被约束在一个 X=2 的平面上,此时解算器会进行折中计算,采取原点和 Plane 之间的位置(X=1),如果在解算方案中,发现这种类型的问题,则最好排除这种冲突。

调节 Root Frames 的数目

对于拍摄来说,Root Frame 解算器使用的默认 Root Frame 帧数,可能会不够,特别是当跟踪点移动得比较快时,此时可以改变 Number of Root Frames 项的数值, 为一个比较大的数值,例如 10 或 15。

修改 Root Frame 的选择

一般 Root Frame 解算器会选择比较好的、具有代表性的帧,但有时可能要选择自己的 Root Frame, 可以使用 Solve Solution 控制面板来添加或去除 Root Frame, 在下一次运行 Root Frame 解算器时, 解算器会使用选择的 Root Frame。

在选择 Root Frame 时, 要选择能够代表摄像机运动的帧,但要避免选择跟踪质量比较差的帧。

例如,如果摄像机的运动比较慢,但在后面的十帧中又加速运动, 则应该选择摄像机开始加速运动处的帧作为 Root Frame。 如果摄像机运动得比较快, 如使用了 whip Pan (摄像机术语–快速摇移), 则这些帧上的跟踪质量可能会比较差, 此时应该避免选择这些帧作为 Root Frame。

操作:设置 Root Frame

1.打开 Solve Solution 控制面板。

2.单击选择 Use User–Specified Root Frames 项。

3.在 Frame Number 项的输入栏中,输入需

要的帧数。

4.单击 Add 按钮。

调节 Smoothing Interval 参数

使用 Root Frame 解算器的 Finish 步骤,实际上是对跟踪点出现或消失处摄像机的运动曲线进行平滑操作, 可以使用 Solve 控制面板上的 Smoothing Interval 参数来控制平滑操作的程度。

有时,平滑的程度是不够的,如果在摄像机的运动中发现不正常的移动,则可以在 Smoothing Interval 项中,使用两倍或三倍于当前数值的数, 然后再次运行 Finish 步骤。然而,平滑的程度越高,则在 3D 定位器和跟踪点之间的 pixel slip(像素滑动)越大。

平滑操作只对跟踪点出现或消失帧上的摄像机运动起作用,跟踪点的出现或消失会在摄像机的运动曲线上引起突然的变化。平滑操作通过调节跟踪点出现帧或消失帧前面和后面帧上的曲线来抵消这种效果,Smoothing Interval 是平滑前后的帧数。

调节 Filter Level 参数

为了纠正摄像机移动解算方案中的不稳定状态,在 Finish 步骤中,解算器执行过滤。可以在解算控制面板上,用过滤水平控制过滤的量。

过滤器会纠正解算不明确的帧周围的不稳定状态。Root frame 解算过程有增大解算含糊,使摄像机运动不稳定的倾向。过滤时找到解算模糊的帧,并将一个强大的过滤器应用于摄像机曲线中的那些模糊区域中。如果需要增强过滤,可以调整过滤水平,参数值 10 为上限,当参数值为 0 时,过滤器无效。

移动摄像机到合适的开始位置

如果 Root Frame 解算器的 Start 步骤,创建了不正确的初始的解算方案,则此时可以帮助解算器把摄像机定位到一个合适的位置上,并且还可以尝试在最后一帧上定位摄像机,此位置不必太精确。

如果在运行 Start 步骤之前,就已经创建了测量约束,则可以使用上面介绍的这种方法。因为约束可能会妨碍解算器的运算过程, 还可以使约束处于非激活状态, 或使用 Registration Only 选项,直到操作步骤到达了 Refine。

微调摄像机

如果对摄像机位置的调节幅度比较小,则可以使用 Fine Tune 控制面板中的工具,对每帧中摄像机的位置进行调节。不过,必须首先要确保跟踪点的精确度。

改变摄像机的旋转次序

对于三脚架上的摇镜头,可以将旋转次序属性改为 ZXY,以改进解算方案。在属性编辑器的 shotCamera 节点 Transform 属性下,可以找到旋转次序属性。

第八节 选择测量约束

这一部分介绍如何使用测量约束来提高解算方案的精度,在使用时要选择合适的约束,因为如果使用不正确的约束或有冲突的约束,则会对解算方案产生有害的效果。

测量约束有两个目的:

1.记录一个解算方案,最主要的用处是确定整个解算方案在世界坐标系统中的位置。Registration(记录)不会影响解算方案的形状和运动,只影响它的放置和缩放。

例如,如果解算方案位于世界网格之下,可以使用约束把解算方案放置在网格之上。

2. 帮助 Root Frame 解算器寻找到解算方案。测量约束可以提供 Root Frame 解算器需要的信息来帮助它产生解算方案。

例如,在影像序列的某部分中,只有三个跟踪点是可见的,此时可以使用平面或点约束来定义它们的位置。

Point constraints (点约束)——点约束可以对点的坐标提供精确的控制。一个单独的点约束,可以把计算出的解算方案移动或约束到指定的点上。

两个点约束可以移动和缩放解算方案。三个点限制,则可以约束解算方案的移动、缩放和旋转。如果指定三点或更多点的约束,应进行精确地测量。

Live 还有相似的功能,称为"锁定特征点",应用锁定特征点比应用点约束要简单。

Distance constraints(距离约束)——距离约束通过缩放把解算方案约束在一个指定的距离内。当定位器太稠密或太稀疏时,可以使用距离约束来设置合适的缩放。要注意不要使用太多的距离约束,以避免约束之间发生冲突。

 技巧

如果指定的距离参数值大(如50 cm),网格尺寸和定位器可能会显得很小。解决方法是按比例放大它们。使用【Display】>【Grid】,可以缩放网格。选择定位器,并在通道盒中改变缩放参数值,可以对定位器进行缩放。

Plane Constraints(平面约束)——使用平面约束可以把点约束在墙、地板、桌子或其他平坦的表面上。

线约束

通过创建两个交叉的平面约束,可以把点约束到一条线上。如使用两个平面约束把点约束到 Z 轴之上,可以看到一些定位器轻微地脱离了线,这是因为跟踪质量的差异造成的。

近似平面

平面约束会使点完美地共面。但有时跟踪点并不是完美地共面,例如在不平坦的地面上的跟踪点,可以使用平面约束的 Registration Only 选项。

深度约束

深度约束定义了在某一帧上某一个点到摄像机透镜之间的距离。这种约束主要用于解算摄像机定位在三脚架上拍摄的影像,此时摄像机只能旋转。对于这种方式拍摄的影像,摄像机不能确定点的深度,因此需要提供附加的信息。

在使用深度约束时,可能需要添加几个深度约束。在第一帧上为所有重要的跟踪点创建深度约束,并且如果在第一帧上的跟踪点播放到最后时脱离出视图,此时则需要为最后一帧上的跟踪点创建深度约束。

使用 Registration Only 选项

在默认状态下,解算器使用约束计算解算方案的形状。在多数情况下,只想将约束应用于作为整体记录的场景中,要达到这一目的,单击 Survey 控制面板中的 Registration Only 即可。

Registration Only 选项,主要用于平面约束,当选中此选项时,创建平面约束的跟踪点仅仅是近似的共面;当取消此项时,则解算器会强迫跟踪点共面,这将导致不现实的匹配。

第九节　创建和修改测量约束

这一部分介绍如何创建和修改测量约束。在创建测量约束时,要注意下列事项。

一般规则

可以随时创建测量约束,但在添加约束时,最好有一个近似的解算方案。

添加的测量约束的数目没有限制,但一般不超过 7 个或 8 个。

如果使用有限数目的约束,则有利于测量限制之间的距离或坐标。也可以使用 Variance 使解算有些偏差,但如果使用创建多个约束,建议使用精确测量。

创建测量约束的位置是非常重要的。

添加测量约束会减慢解算器的执行速度,但对 Registration Only 影响较小。

 可以对代表测量约束的物体进行颜色调整。

操作:创建测量约束

1.打开 Solve Survey 控制面板。

2.像选择其他 Maya 物体一样选择跟踪点,不要选择与之相关的定位器。

3. 从 LiveConstraints 项的下拉菜单或按空格键从弹出的菜单中,选择要创建的约束。

技巧

还可以使用 *Outliner* 视窗，或在 *shotCamera* 面板中选择跟踪点。

在【*clip1TrackedPointVisibility-Group*】>【*clip1trackedPointGroup*】下列出选择的可控点。

注意

也可以在 *Constraint Type* 下拉菜单中，选择测量约束，用这种方式创建测量约束时，需要单击 *Create*，创建的约束将显示在视图中。

4.在 3D 坐标空间系统中，设置约束的长度和位置，如表 6-9-1 所示。

约束	设置
点约束	应用透视图或通道盒定向并转换约束物体，还可以使用 Maya 的吸附工具，把它锁定在模型上。
距离约束	在 Survey 面板中输入参数值
平面约束	应用透视图或通道盒定向并转换约束物体
深度约束	在 Survey 控制面板中输入参数值

表 6-9-1　设置约束的长度和位置

5.如果允许解算器使用的数值与约束设置中有一定的偏差，这时可以修改 Variance 参数，此项是随机的选项。

操作：实施测量约束到解算方案中

使用下面的步骤实施约束到现有的解算方案中，另外也可以重新开始解算，创建一个新方案。

1.打开 Solve 控制面板。

2.选择认为是最好的解算方案。

3.单击 Register 或 Refine 按钮。

Register 把约束实施到整个解算方案中。Refine 把约束和解算方案的形状合并起来。

平面和点约束的放置

平面约束是无限扩展的，因此可以把要约束的平面物体移动到平面上的任意位置上。在放置约束时，要注意它们在真实世界空间的位置关系。

例如墙壁和地板的平面约束应该是互相垂直的，并且两个平行的平面约束之间的距离暗示着距离约束。

如果创建的点约束是结合几何体一起使用的，则可以使用 Maya 的吸附工具，把几何体放置在空间中。

第十节　修改测量约束

可以随时修改约束的数值。然而，一旦约束被创建，则不能再添加或去除相关的点。如果要添加点，则必须重新创建约束并删除以前的点。

注意

如果删除测量约束中所用的跟踪点，*Live* 会强制约束呈非激活状态。在这种情况下，可能还需要重新创建约束。

第十一节　创建无限远点和锁定点

在 Locator Summary 面板中，可以创建锁定点和无限远点，这些锁定点和无限远点同测量约束一样，也可以帮助解算器。

单击 Locator Summary 面板旁的定位器，就可以锁定一个点或将点指定为无限远了。要使点回到正常状态，再次单击图标即可。

Infinite（无限远点）——解算器将某点的位置看做是无穷远，如山、云或背景上的其他物体。当设定一个点无限远时，计算器可以用它专门计算摄像机的运动，因为不需要计算点在空间的位置，所以定位器处于隐藏状态。

将两个或更多的点设成无限远状态，可以

帮助解算器计算变焦距拍摄,使这些点的可见时间足够长。

Lock（锁定）——将定位器锁定在某一个三维位置处。锁定点就好像将点赋予了测量约束一样,但是工作流程更简单些,只需单击锁定标签,并将定位器移动到指定位置即可。然而当只用于定位时,点约束仍是必需的。

锁定点的几个用途

将点锁定在创建或输入的建模上。

从测量数据中抽出两个或更多的点,然后为它们指定精确的定位,可以帮助解算器模糊计算。

记录围绕某一点的整个场景,例如原点。

第十二节　创建焦距约束

焦距约束有助于控制场景中视图的角度。

注意

当创建焦距约束时,必须设置胶片。在 Setup 控制面板中,从 Predefined Filmback 列表中做出选择。

设置焦距参数

在 Solve Camera 控制面板中含有 focal length 参数,通过下面的问题,可以了解如何设置 focal length 参数。

对 focal length 参数的了解程度?

1.不知道此参数的数值:设置约束的类型为 Unconstrained,并使后面的输入栏保持为空。

2.知道此参数的数值:设置约束的类型为 Fixed,并输入数值。如果此参数的数值是变化的,变化此数值。

3. 评估的数值:设置约束的类型为 Constrained,在后面的输入栏中输入数值,如果此数值是变化的,则动画此属性。

焦距长度是变化的还是保持静止的?

1.Zoom:取消 Static 复选框来表明此项的数值是动画的。

2.No Zoom(static):选中 Static 项,表明焦距长度是不变的。

关于设置焦距的范例如表 6-12-1 所示,列出了一些设置焦距的范例。

镜头	焦距	焦距约束设置	Live的结果
用主镜头拍摄的电影	已知常量	Type: Fixed Value: 镜头设置(如32) Static: 选择Variance: N/A	应用固定的焦距并使其保持恒定
用主镜头拍摄的电影	可评估的常量	Type: Constrained Value: 镜头设置(如32) Static: 选择Variance:estimated buffer(如1)	应用变量间的焦距,并使其保持恒定
摄像机推移拍摄的视频	未知且为变量	Type: Unconstrained Value: N/A Static: 非选择Variance: N/A	Maya确定焦距,并通过镜头改变
摄像机不推移拍摄的视频	未知且为恒量	Type: Unconstrained Value: N/A Static: 选择Variance: N/A	Live确定焦距,并保持恒定
手动推动摄像机拍摄的电影	可评估参数且为变量	Type: Constrained Value: create an animated attribute Static: 非选择 Variance: estimated buffer (如5)	应用变化的焦距参数
用推动摄像机控制运动产生的电影	已知参数且为变量	Type: Fixed Value: create an animated attribute Static: 非选择 Variance: N/A	应用变量参数

表 6-12-1　设置焦距的范例

第十三节　创建摄像机的移动和旋转约束

在 Solve Camera 控制面板中，也可以对摄像机移动和旋转进行约束。摄像机的移动可以被约束在任意的轴上。

例如，如果摄像机只沿着 X 轴移动，则可以选中 Static 项，这样把摄像机的运动约束在 Y 轴和 Z 轴上。

不能把摄像机的旋转限制在某个单独的轴上，只能同时约束摄像机在三个轴上的旋转。如果在 X 轴上设置限制，Live 也将设置应用于 Y 轴和 Z 轴上；不能在单个轴上限制旋转，但仍能通过添加深度约束帮助解算。

第十四节　渲染最终场景

可以渲染背景中有影像的最终场景，或者应用 CG 元素，从而最终把它们和 Live 电影胶片合成在一起。推荐应用合成方法，不过两种方法软件都支持。

渲染影像平面时，必须关闭 Setup 控制面板上的 Use Cache 选项。Use Cache 选项应用一个 Roto 节点，这个节点是没有渲染的。关闭 Use Cache，切换到标准 Maya 影像平面中，这个平面是可渲染的。

仅渲染 CG 元素时，必须打开 Use Cache 选项。如果关闭此选项，在影像平面属性中，将 Display Type 设置为 None。

注意

渲染前，单击 Setup 控制面板中的 Copy to Render Globals，将宽高比率正确地拷贝到 Maya Render Globals 中。

CG 背景的应用

如果电影胶片叠加到 CG 背景上，会剪切掉背景几何体。因为 Live 将 Far Clipping Plane（远剪辑平面）直接放置在影像平面的后面，所以会出现这种问题。纠正这一问题时，需要打开摄像机属性，然后编辑或删除远剪辑平面的表达式即可。

第十五节　输出解算方案

当获得一个解算方案后，可以输出解算的摄像机和 3D 定位器，以便于其他的 Live 使用，或者输出到其他的软件中，支持的应用程序有 Softimage 和 Discrete Logic 的特效产品，包括 Inferno 和 Flame。

 操作：输出一个解算方案

1.在 Solve 控制面板中，选择最后的解算方案。

2. 选择想要输出的任意的几何体，只针对 Maya Complete 输出。

3.如果需要，选中 As Object 复选框。

技巧

如果没有选中 As Object 复选框，Live 输出动画的摄像机和静止的 3D 定位器。如果 As Object 复选框选中，则 Live 会输出一个静止的摄像机和动画的 3D 定位器。

注意

在多数情况下，Inferno 和 Flame 要求一台静态摄像机，例如，产生透镜扭曲效果时。选中 As Object 复选框，可以满足静态摄像机的要求。当将解算方案输入到 Discrete 软件中后，效果是相同的。

4.选择【Scene】>【Export Scene As】，并选择 Maya Complete、Discrete 或 Softimage。

5.指定文件位置，单击 Export 输出。

或者按下面所述完成设置，然后单击 Export，只针对 Sofeimage 输出。

Location of Soft DB——指定含有 Softimage

数据库的目录，数据库目录可以是局部的，也可以在网络上。目录可以有下列子目录：AN-IMATION、CAMERAS、MODELS，SCENES 和 SETUP_SOFT。

Prefix for Scene——指定 Softimage 命名系统的前缀。例如，如果要用一个 studio-strainx1.0 的名字，输入 studio 作为前缀。

Scene Name——指定 Softimage 场景的命名系统。例如，想使场景名为 studio-stainx1.0，输入 stainx1.0 作为场景名。

 注意

> 关于 Softimage 输出，接受数据库目录(ANIMATION CAMERAS MODELS SCENES and SETUP_SOFT)中的各种文件。当输入进 Softimage 中时，从 SCENES 目录中调入场景文件。

输出到另外一台安装 Softimage 的机器上

标准输出是设定将 Softimage 安装在同一台计算机上，如果没有安装在同一台机器上，将会出现两个问题：

1. 输出命令必须能够定位 Softimage 数据库目录结构，必须在网络中指定一台机器，或创建一个虚拟的数据库目录结构。

2.一些 Softimage 应用程序要求完善输出，则必须在机器的命令栏中，运行这些应用程序。

下面介绍如何解决这两个问题。

操作：输出虚拟数据库目录

当机器不能通过网络访问目标 Softimage 数据库时，必须执行以下步骤，在这种情况下，必须使用临时的虚拟数据库，必须在 Location of Soft DB 中，指定 Softimage 数据库。

1. 创建虚拟的 Softimage 数据库，命名为 LivetoSoft。

2 在虚拟数据库目录下创建下列子目录。ANIMATION、CAMERAS、MODELS、SCENES、SETUP_SOFT，目录名完全用大写字母。

3.当输出结果时（【Scene】>【Export】>【Soft-image】），在 Location of Soft DB 中指定虚拟数据库目录。

执行 Softimage 转换实用程序

如果机器上没有安装 Softimage，输出实用程序只能创建 ASCII 文件。这时必须在 Softimage 机器上用 Softimage 实用程序,将几个 ASCII 文件转换成二进制文件。

操作：执行 Softimage 转换实用程序

1.如果输出虚拟数据库，将文件从虚拟数据库拷贝到实际的 Softimage 数据库中。

/ANIMATION/scenename-cam_init1.1-0Ascii.ani
./CAMERAS/scenename-cam_init1.1-0Ascii.cam
./MODELS/scenename -pointA_3DAscii.hrc....
./MODELS/scenename-pointZ_3DAscii.hrc
./SCENES/prefixname-scenename.1-0.dsc
./SETUP_SOFT/prefixname-scenename.1-0.sts

 要点

> scenename 和 prefixname 是在 Softimage 输出视窗中指定的场景和前缀名。注意 MODELS 目录包含每个三维定位器的文件,每个三维定位器有一个文件。

2.登录装有 Softimage 的机器。

3.运行下列命令，在 ANIMATION 目录中转换输出文件。

bin2ascii scenename-cam_init1.1-0Ascii.ani scenename-cam_init1.1-0.ani

4.运行下列命令，在 CAMERAS 目录中转换输出文件。

bin2ascii scenename -cam_init1.1 -0Ascii.cam scenename-cam_init1.1-0.cam

5.在 MODELS 目录中,键入下列命令,列出所有的三维定位文件。

　　ls scenename-*_3DAscii.hrc

　　6.执行下列命令,在 MODELS 目录中转换所有的文件:

　　hrcConvert scenename –pointA_3DAscii.hrc scenename –pointA_3D.hrc...hrcConvert scenename –pointZ_3DAscii.hrc scenename –pointZ_3D.hrc

提示

scenename 是指定的场景名, pointA 和 pointZ 是指定的特征点名。

　　7.将文件放在 SCENES 和 SETUP_SOFT 目录中。

　　8.要输入到 Softimage 中,则调用场景文件。

小结:

　　解算是运动匹配很关键的一步,为此要多加理解解算的技术要领。虽然解算看起来很难理解,只要多加练习从中体会,还是能熟练掌握的。

课外练习:

　　熟悉解算各技术要领,并练习课程中的操作。

第七章   微调和纠正操作

 学习目的

　　这课学习如何精细进行调整工作,并学会怎样纠正错误的操作。对完善运动匹配的制作,有很大的帮助。

第一节   微调

　　使用 Fine Tune 控制面板上的工具可以微调最终方案摄像机的位置,如图 7-1-1 所示。

　　使用 Nudge 工具

　　使用 Nudge 工具,可以在选择的帧上,对摄像机的位置进行微小的调节。所做的调节操作会自动与解算方案保存在一起,不用重新进行解算,因为解算操作会覆盖调节操作。

　　操作:使用 Nudge 工具调节摄像机

　　1 打开 Fine Tune 控制面板。

　　2 设置当前时间为需要对摄像机进行调节的帧上。

　　3 选择对应于摄像机调节方向的 Nudge 工具按钮。

　　Truck——使用此工具,可以上、下、左、右移动摄像机。

　　Dolly——使摄像机远离或靠近影像平面。

　　Pan/Tilt——上、下、左、右旋转摄像机。

　　Roll——顺时针或逆时针旋转摄像机。

　　4 按住【Ctrl】键,并按对应摄像机移动方向的箭头来移动摄像机。

 要点

　　每按箭头键一次,摄像机就会沿箭头方向移动一个单位。

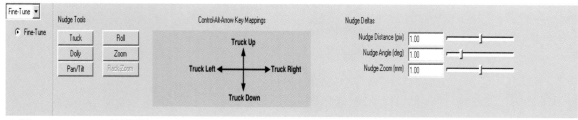

图 7-1-1   Fine Tune 控制面板

第二节　纠正选项

如果遇到一些错误，那么这一部分提供的一些纠正选项可以在场景中使用。

纠正时间单位

在进行跟踪计算之前，最好先设置时间单位。如果忘记时间单位，则可以在图表编辑器视窗中，缩放关键帧的时间来纠正时间单位。

在两种方法中选择，以重新设置时间缩放：

1.选择【Window】>【Settings/Preferences】>【Preferences】，设置时间计数种类，从而改变时间缩放。

2.在 Track 控制面板中，单击 Select All 按钮。

3.在通道盒中，选择所有动画的属性，它们显示为绿色。

4.选择【Edit】>【Keys】>【Scale Keys】命令右侧的方盒。

5. 在 Scale Keys 选项设置对话框中，输入下面的设置：

Channels（通道——选中 From Channel Box 项。

Time Range（时间范围）——设置为 All。

Time Scale/Pivot（时间缩放/枢轴点）——在 Time Scale 输入栏中，输入当前帧速率除以目标帧速率的数值。

例如，如果把帧速率从 24fps 变为 30fps，则输入的数值应为 0.8。在 Time Pivot 项的数值保持默认的数值为 0。

6.缩放完毕后，再次进行计算。

第二种方法是：

1 不管时间单位，保存场景，然后单击 Save As，将场景保存在 Maya ASCII 文件中。

2.打开新场景，清除内存。

3.在文字编辑器中，打开 ASCII 场景文件，在文件顶部查找"CurrentUnit"标题。

4. 改变下列时间单位的−t 标志：film、game、ntsc、ntscf、pal、palf 或 show。

要点

每个时间单位各代表一个速度：

film——是 24fps，pal 是 25 fps；

game——是 15 fps，palf 是 50 fps；

ntsc——是 30 fps，show 是 48 fps；

ntscf——是 60 fps。

5.保存对 ASCII 文件所做的改变。

6.在 Maya Live 中，重新打开 ASCII 场景文件。

提示

当重新打开 ASCII 场景文件时，跟踪点和所有的解算方案都缩放为新时间单位。

纠正胶片规格

如果忘记设置胶片规格，可以在图表编辑器视窗中缩放关键帧的数值。

操作：重新设置胶片规格

1.在 Setup 控制面板中，改变胶片规格设置。

2. 在 Track 控制面板中，单击 Select All 按钮。

3.在通道盒中，选择 LocationX 属性。

4.选择【Edit】>【Keys】>【Scale Keys】图标。

5.在 Scale Keys 选项对话框中，输入下面的设置：

Channels——设置为 From Channel Box。

Time Range——设置为 Select All。

Time Scale/Pivot——在 Time Scale 的输入栏中，输入 1，在 Time Pivot 中输入 0。

Value Scale/Pivot——在 Value Scale 输入栏中，输入当前胶片宽度，除以目标宽度的数值。

例如，如果从 1.481 缩放到 1.333，输入数值为 0.9，保留 Value Pivot 为 0。

6. 为了在视图面板中观察到变化，刷新屏幕。

7.在重新缩放后，再次进行解算。

小结：

　　Maya 中的运动匹配功能，与动画的合成制作有密切的关系，为此将 Live 的课程安排在后期合成中首先讲解。接着将讲解与 Maya 制作动画密切相关的一些合成与非线编辑程序。

课外练习：

　　1.练习微调功能使其运动匹配达到完善。

　　2.熟悉各种纠正操作。

2

第二部分
技能与创作教学

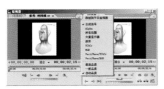

技能与创作教学导读

第八章　　Premiere　Pro
第九章　　After　Effects
第十章　　高级应用编辑技术

注:以上为基础教学的课程,参考学时:28课时。

第八章 Premiere Pro

 学习目的

　　Premiere Pro 是针对所有从事影视动画行业的学生开设的技术性课程,通过对 Premiere Pro 剪辑技术软件的讲解,着重讲解非线性编辑技术在影视动画后期制作领域中的作用。讲解了数字视频的基本原理和非线性编辑的基本过程,将使学生很好地运用这种新的制作手段,更好地将技术与艺术相结合。

第一节　素材的基本操作

　　在 Premiere Pro 中,影片的制作通常是按照一条时间线,对一系列的素材资料进行剪接、组合来实现的。这里所说的影片是指对各种素材进行加工之后得到的成品。素材则是指未经剪辑的视、音频片断。在利用 Premiere Pro 进行素材加工的过程中将会涉及到大量的针对素材的基本操作。

　　本节将对这些基本操作进行详细地讲解,主要包括:创建项目、引入素材、删除素材、查找素材、整理素材、装配素材、禁用素材、锁定素材、剪断素材、串接素材、添加声音等。这一节的讲解,可以使其熟悉在 Premiere Pro 中对素材文件的各种基本操作。

操作:创建项目

　　1.在 Windows 操作平台中,开启 Premiere Pro 软件,在开启时会出现一个欢迎使用 Premiere Pro 的窗口,如图 8-1-1 所示。

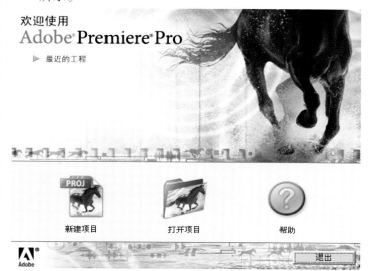

图 8-1-1　欢迎使用 Premiere Pro 的窗口

这个对话框在每次打开 Premiere Pro 时会自动弹出,便于新创建或载入所需的项目。

2.单击窗口中的【新创建项目】图标,出现【新建项目】设置对话窗,如图 8-1-2 所示。

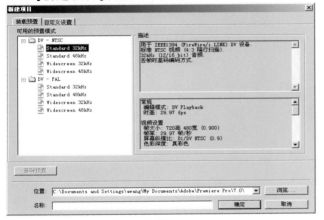

图 8-1-2 【新建项目】设置对话窗

在这个设置对话框里,可以设定新项目的各项属性。在【装载预置】栏下的【可用预置模式】栏中,选择一种符合自己的预置模式;也可以在【自定义设置】栏下,设置自定义的影片模式。右侧栏的信息根据选择的预置模式,显示相应的设置信息。NTSC 和 PAL 两个视频制式,都有四种预置模式。

3.选择预置模式中的一种模式,在【位置】选项中,单击【浏览】按钮,设定新项目保存的位置,并在【名称】选项中,输入新项目的名称,然后单击【确定】按钮,创建一个新项目。

4.单击【自定义设置】标签,进入自定义设置对话框,如图 8-1-3 所示。

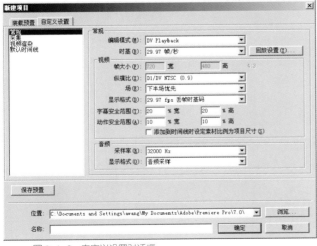

图 8-1-3 自定义设置对话框

自定义设置包含【常规】、【采集】、【视频预演】、【默认时间线】。每一个设置选项中,都有一些特殊的设置项目。

5.在【常规】设置对话窗口中,根据所需逐一设置各项设置。

6. 如果新项目需要通过其他硬件设备进行采集,可以在【采集】设置对话框中,设置采集格式,如图 8-1-4 所示。

图 8-1-4 设置采集格式

7.在【视频预演】设置对话框中,可以设定影片的压缩器、画面的大小与纵横比、刷新频率、画质、数据率等项目,如图 8-1-5 所示。

图 8-1-5 设定影片的压缩器

8.在【默认时间线】设置对话框中,可以设置编辑【时间线】的预置形式,如图 8-1-6 所示。

图 8-1-6 设置编辑【时间线】的预置形式

主要包括【视频】和【音频】时间线的设置,默认【视频】和【音频】是 3 个轨道,可以根据需要设置相应的编辑轨道。

9.以上自定义选项设置完成后,如果今后想要使用现有的设置,可以单击【新建项目】窗口下的【保存预置】按钮,设置一个保存设置的文件,Premiere Pro 会将现有的设定保存,以备今后载入使用。

10.在【位置】选项中,单击【浏览】按钮,设定新项目保存的位置,并在【名称】选项中,输入新项目的名称,然后单击【确定】按钮,创建一个,新项目。

要点

如果想要使用 Premiere Pro 来制作一段影片,那么要做的第一件事就是打开相应的项目文件,如果这个项目文件还不存在,就要首先创建一个新的项目。项目在影片制作过程中的地位是非常重要的。项目中存储着在编辑影片的过程中要用到的所有素材,所有的素材操作基本上都要在项目中进行。

项目是 Premiere Pro 中进行影片编辑的最主要的单位,在创建新项目的时候,需要预先进行对项目属性的设置,这些属性决定了将来生成的影片的帧频率、压缩比、尺寸大小、输出格式等特性。还可以在此设定一些与制作过程相关的选项,例如设定项目的时机、编辑模式、显示单位等等。为了使用上的方便,系统定义并优化了几种常用的预设,每种预设都是一套常用预设值的组合。也可以自定义这样的预设,留待以后使用,通过装入已存在的预设,可以大大简化设置项目选项的过程。在编辑影片的过程中,还可以根据实际需要随时更改这些选项。

操作:用文件夹整理【项目】窗中的素材

1.激活【项目】窗口,如图 8-1-7 所示。

图 8-1-7　激活【项目】窗口

2.在【项目】窗口空白处,双击鼠标,开启【输入】窗口,选择需要的素材文件夹,然后单击【输入文件夹】按钮,载入素材文件夹,如图 8-1-8 所示。

图 8-1-8　载入素材文件夹

3.右击鼠标,在弹出菜单中,选择【新建文件夹】,创建一个新文件夹,如图 8-1-9 所示。

图 8-1-9　选择【新建文件夹】

4.为新文件夹取名,如图 8-1-10 所示。

图 8-1-10　为新文件夹取名

新文件夹的名字任意指定,最好是与文件夹中内容有关的名称。新文件夹的图标出现在【项目】窗口中, 为了能在窗中显示更多的文件,以方便后面的操作,推荐使用列表显示方式,如图 8-1-11 所示。

图 8-1-11　使用列表显示方式

5.把鼠标移动到单个素材文件上,按住鼠标不放,可把素材文件拖动,移至文件夹中。可以依次选取多个文件进行操作,方法是在选取文件时,按住【Ctrl】键或【Shift】键。

6.在【项目】窗中,双击文件夹图标,该文件夹会被打开, 其中的文件出现在一个新的【项目】窗中,要返回的时候,可以单击 图标。

7.也可以在【项目】窗中,单击文件夹左侧的三角形图标,展开文件夹,可以在不同的文件夹之间移动文件。

8.可以在【项目】窗中,单击窗口底部的文件夹图标,创建多个文件夹,分别存放各类型或各片断的素材文件, 并可以在文件夹中,再创建新的子文件夹。

9.不需要的文件夹,最好及时删除,删除文件夹的时候,系统会给出警告,提醒慎重操作,因为文件夹的删除操作,是不能用【Ctrl+Z】键恢复的,如图 8-1-12 所示。

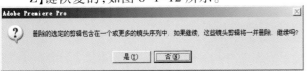

图 8-1-12　系统会给出警告

要点

当所编辑的影片需要的素材很多的时候,用【项目】窗中的文件夹来管理素材文件,是个省事高效的好办法。在【项目】窗中,可以根据需要创建多层次的文件夹结构, 就像使用 Windows 中的资源管理器来管理磁盘上的文件一样。

在这里,最初的【项目】窗,就相当于磁盘上的根目录,可以在这个"根目录"上创建新的子目录,即子文件夹,并通过在文件夹之间移动素材文件来实现分类管理、合理组织的目的。一般来说,可以按照文件的类型来分类存放素材,例如,可以在剧本窗中建立 AVI 子文件夹,然后把所有 AVI 类型的文件, 都存放到这个文件夹里去。另一种常用的分类方法,是按照影片时间线上的不同片断进行素材的划分, 就是把影片中某一片断要用到的所有素材都放到同一个文件夹里面。用文件夹方式进行管理, 是从数目繁多、令人眼花缭乱的素材中解脱出来,可以用更清晰的思路从事影片的编辑工作。

操作:把一段素材载入【项目】窗中

1.在菜单栏中,选择【文件】→【导入】菜单命令,或按快捷键【Ctrl+I】、双击【项目】窗口空白处,还可以右击鼠标,在弹出的菜单中选择【导入】命令。

2.通过【输入】窗口,选择需要引入的素材文件,并单击【打开】或【输入文件夹】按钮。如果在选取文件的时候,按住【Ctrl】键或【Shift】键,则可同时引入多个素材文件。

3.被选中的素材文件,将出现在【项目】窗中可以单击【项目】窗下方的图标按钮,选择素材文件的不同显示方式:图标方式和列表方式。如图 8-1-13 所示。

图 8-1-13　不同显示方式

4.当需要引入的素材较多的时候,可以引入包括素材的文件夹。

5. 还可以直接引入一个现成的剧本,即【*.ppj】和【*.prproj】类型的文件。

要点

新的项目创建后,里面还没有实际的内容,是一个"空项目",需要加入素材文件使之丰满起来。所谓"素材",就是指未经过剪裁、加工过的视频、音频片断。Premiere Pro中进行影片的制作加工,绝大部分工作就是对素材的加工剪接。

Premiere Pro 支持使用多种格式的素材文件,主要包括:从摄像机、录像机或磁带机上捕获的数字化视频文件;使用各种工具编制而成的 avi、mov文件;静态的图形文件;aif 和 wav 等类型的声音文件;动画文件等等。要对一段素材文件进行加工,首先必须把它引入 Premiere Pro 的加工环境中。

Premiere Pro 使用【项目】窗来进行一段影片中各种素材的记录与组织,只有把素材文件装入【项目】窗,才能把该素材作为影片的一个组成部分

进行编辑加工。可以在项目中重复引入同一个文件,系统会自动给以不同的标记。当需要引入的素材较多的时候,可以把它们保存在一个文件夹中,然后引入整个文件夹。还可以直接引入一个现成的项目。Premiere Pro 还支持对网络的访问,可以通过网络访问共享文件。

操作:在【时间线】窗口中装配一段素材

1.在【项目】窗中,找到要装配到【时间线】窗口的素材文件,把鼠标指针移到该文件上。按下鼠标左键,将素材文件拖至【时间线】窗的相应轨道上,松开鼠标左键,该素材即被装配进【时间线】窗,可以进一步编辑加工了,如图 8-1-14 所示。

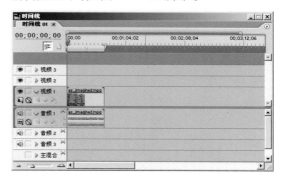

图 8-1-14　拖至【时间线】窗的相应轨道上

此方式是手动放置素材到【时间线】窗口中。

2.在【项目】窗中,找到要装配到【时间线】窗口的素材文件,单击选择该素材文件或文件夹,然后单击【项目】窗口中的 [自动到时间线]图标,出现【自动到时间线】设置窗口,如图 8-1-15所示。设置完成后,单击【确定】按钮,将素材引入到【时间线】窗口中。

图 8-1-15　【自动到时间线】设置窗口

此方式是自动放置素材到【时间线】窗口中。

3.在【时间线】窗中,用鼠标把素材在同一轨道上拖动。用这个方法,可以改变该素材的开始时间,即改变该素材在"时间线"上的位置。素材两端的延长线,用于确定素材在标尺上的位置和确定与其他素材的位置关系,如图8-1-16所示。

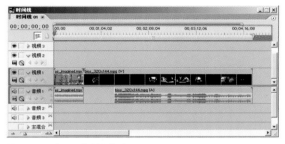

图8-1-16 在同一轨道上拖动

4.还可以在【时间线】窗的不同轨道之间拖动素材。如图8-1-17所示。熟练使用这一方法,是以后进行素材特效的基础。当影片中素材数量较多的时候,要经常进行这种多轨道操作。

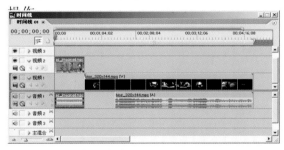

图8-1-17 不同轨道之间拖动素材

5.可以同时从【项目】窗中,选定多个文件进行拖动。也可以拖动一个文件夹到【时间线】窗上,其作用相当于拖动该文件夹中的所有文件。

6.系统会自动根据选定的文件类型,把文件装配到正确的视频或音频轨道上,同种文件排在同一轨道上,其顺序为素材在剧本窗中的排列顺序。

7.若【时间线】窗中,不再需要某段素材,可单击该素材出现虚线框后,按【Delete】键或单击鼠标右键,选择【清除】命令进行删除。

 要点

事实上,Premiere Pro【时间线】窗,是由 Premiere 中的 【编辑窗(Construction Window)】发展而来的,【时间线】窗比【编辑窗】具有更强大的功能。Premiere Pro 的【时间线】窗,具有更丰富的编辑工具,更多的素材编辑轨道和更完善的素材组织管理功能。【时间线】窗是加工影片中各视频、音频素材的"加工厂"。素材的剪辑、拼接等编辑工作,主要都是在【时间线】窗中完成的。

从本节开始,将陆续讲解素材在【时间线】窗中的装配、禁用、锁定、剪断、串接等操作。素材装配可以说是影片加工的第一步,它看起来并不复杂,但是作用却很重要,它是以后一切操作的基础。对于大型的影片制作,素材的装配很难一次到位,往往需要进行多次装配操作,熟练掌握装配的技巧,可以大大提高影片编辑的效率。

操作:把一段素材从【项目】窗中删除

1.在【项目】窗中,选择想要删除的素材文件。在选取过程中,可以按住【Ctrl】键或【Shift】键来选取多个素材。

2.删除这些文件。可以在菜单栏中,选择【编辑】>【清除】命令删除,也可以直接按【Delete】键或倒退键;还能使用鼠标右键,选择【清除】命令;最快捷的方式就是,单击【项目】窗口底部的【清除】图标,删除不需要的素材文件。

3.执行删除命令后,被删除的素材从【项目】窗中消失。不再是该项目的一部分,如果以后又要用到这个素材文件,必须重新进行引入操作。

4.如果被删除的是一个文件夹,或者被删除的文件正在【时间线】窗口中被使用,则下达删除命令后,系统自动弹出提示对话框,提醒避免误操作,如果真的想删除就单击【是】。

5.如果不小心误删了需要的文件,可以试着用【编辑】菜单中的【撤销】命令进行恢复,快捷键为【Ctrl+Z】。

提示

　　文件夹的删除是无法恢复的！文件删除的操作并不复杂，但是很容易造成难以挽回的错误。为了避免这一点，在进行删除操作的时候，应当格外小心。在从【项目】窗中删除素材时，特别要注意【项目】窗应当为当前活动窗口。

要点

　　制作一部影片，通常要动用大量的素材文件，并从中合理取舍。为了保证制作过程中思路清晰、条理分明，应当对素材文件的组织管理工作给予足够的重视。当【项目】窗中文件较多的时候，一方面要使用文件夹，对文件进行分类存放，另一方面要随时注意清理【项目】窗中不再需要的素材文件和文件夹，即把素材文件从剧本窗中删除。

　　在此应当注意：把素材从【时间线】窗中删除，并不等于把素材从【项目】窗中删除。如果说【时间线】窗是 PremierePro 用来编辑素材的"主车间"，【项目】窗就相当于是素材的"仓库"。从【时间线】中删除一段素材，只是暂时不去用它，这段素材还存在【项目】窗中，可以随时取用。但若从【项目】窗中删除了一段素材，这段素材就不再包含在【项目】中了，要想编辑这段素材，就必须重新引用它。本节讲解的内容就是如何从【项目】窗中删除一段素材，当今后不再希望该素材的任意片断，出现在影片中时，即可进行此项操作。

操作：在【时间线】窗中剪断一段素材

　　1.首先把要进行剪断的素材装配到【时间线】窗中，并确定剪断的位置，如图 8-1-18 所示。

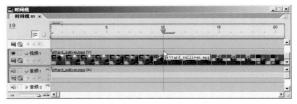

图 8-1-18　确定剪断的位置

　　2.在【时间线】窗的工具栏中，选取【剃刀工具】，即刀片形按钮，准备进行剪断。本例中，使用【剃刀工具】进行剪断，选定后鼠标指针变为刀片形，如图 8-1-19 所示。

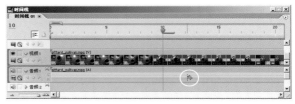

图 8-1-19　选定后鼠标指针变为刀片形

　　3.然后选择适当的剪断位置，本示例不考虑素材的内容，只进行素材长度上的剪断。根据素材上方的帧标尺，将刀片指针移至第 10 帧处。

　　4.单击鼠标左键，则素材被分割为两段。切点在第 10 帧，此时素材实际上已经从切点被分割为了两个部分，只是在位置上还连在一起，如图 8-1-20 所示。

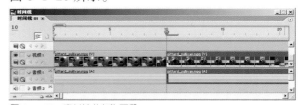

图 8-1-20　素材被分割为两段

　　5.再次选择【时间线】窗口中的【选择素材】工具，拖动切点某一侧的那段素材移至别处，即可把两段素材分开，如图 8-1-21 所示。

图 8-1-21　把两段素材分开

被分开的两段素材,彼此不再相关,相当于两段独立引入的素材,可以对它们分别进行拖动、剪断、特技处理等编辑加工操作。通过改变【时间线】窗的属性,还可以把帧标尺变为时间标尺,进行【时间线】上的剪断,素材的剪断是素材在【时间线】窗中的变化,不会影响到【项目】窗中原有的素材文件。

要点

引入【项目】窗的素材文件,大多是未经加工的原始视频或音频片断,在加工好的影片中,并不会从头到尾地照搬这些片断,必须要对它们进行加工。加工的第一步就是去掉原始片断中不需要的部分,保留可用部分,这就好像做菜的时候,先要把菜洗干净,并择掉上面的腐枝败叶一样,当素材被装配入【时间线】窗以后,就可以对它进行剪断操作了。

在 Premiere Pro 中,可以应用多种方法对素材进行剪断。其中最简便易学的一种,就是直接利用【时间线】窗中的【剃刀工具】,对素材进行剪断。在后面的章节中,将对【时间线】窗中【剃刀工具】的功能与用法,进行更详尽地讲解,本节中只介绍一种最常用的剪断方法,即对素材进行【时间线】上的粗略剪断。

在影片编辑中,通常要对某一段素材限定一段播放时间。例如,需要某一段素材,只在影片中出现 3 分钟,或者需要某一段素材,在整个影片播放到第 10 分钟的时候必须停止,这时候就要对素材进行【时间线】上的剪断。这种剪断的剪断点设置的标准,就是【时间线】窗中轨道上方的标尺,标尺的单位可以设定为时间或帧,两者是等价的。

操作:在【项目】窗中查找一段素材

1.当【项目】中素材不多的时候,可以单击【项目】窗下方的小图标,选择【列表显示】方式,然后单击【项目】窗上方的属性名,重新排列文件,寻找自己所需的文件。

2.当【项目】窗中文件繁多、层次复杂的时候,可用如下方法查找素材。激活【项目】窗,选择下方的 ▥【查找】图标;也可以在【项目】窗上的空白处,用鼠标右键弹出菜单,进行类似操作。

3.查找某一特定文件,单击下拉菜单,选择【名称】属性,表示要查找的属性与素材文件的名字有关,如图 8-1-22 所示。

图 8-1-22 选择【名称】属性

4. 在它右边的文本框内填入文件名 Flying.tif.表示在需要查找的素材文件的【名称】属性中包括 Flying.tif 这个值。

5.单击【查找】按钮,即可找到所需的素材文件,若符合要求的文件不止一个,则可继续单击【查找】按钮,寻找下一个符合要求的文件。

6.查找到所需的素材文件后,单击【完成】按钮,关闭【查找】窗口,若【项目】窗里未显示要找的文件,表示该文件不在【项目】窗里。

要点

课程中曾经提到,在一段影片的制作过程中,通常要引入大量的素材文件,以备编辑影片的时候进行调用。当引入的素材文件较多的时候,往往一时不易从【项目】窗中找到当前所需的文件,特别是当【项目】窗中有多个子文件夹的时候,调用某个躲在多层文件夹深处的素材文件,可真是一件令人头痛的事情。掌握了从【项目】中查找素材的方法以后,这些问题就可以迎刃而解了。

通过本节中讲解的查找素材文件的方法，可以快速地找到所需素材，并应用于当前影片。既可以按文件名进行查找，也可以按照文件的类型、大小、修改事件等28种属性进行查找。可以查找同种属性的多个文件，也可以综合素材文件的两种属性进行查找。上述的综合查找是一项方便实用的功能。例如，可以使用这一功能来查找在【项目】中除了某一动画文件以外的所有其他动画文件，综合查找功能是通过对素材文件两种属性状况与操作来实现的。还可以选择是否在查找的时候，检索【项目】窗中的各个子文件夹。通过这个方法，可以快速找到目录深处的素材文件。

操作：两段视频素材的串接

1.首先把两段视频素材装配到【时间线】窗中。本示例中，选用两个视频素材文件进行串接，如图8-2-23所示。

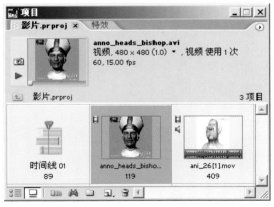

图8-1-23　选用两个视频素材文件进行串接

2.在工具栏中，选择 【选择工具】，然后拖动两段素材，使之位于同一轨道上，并且紧密相连，当中不留空隙，如图8-1-24所示。

图 8-1-24　位于同一轨道上

3.这时两段素材就串接好了。在预演的时候，画面会在联结点，直接从前一段视频的终点跳至后一段视频的起点，实现连续播放。

4.可以在【监视器】窗口中，单击右边视窗中的【播放】按钮来预演串接的效果，如图8-1-25所示。

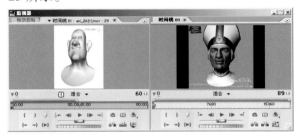

图 8-1-25　预演串接的效果

这种画面之间的直接变换就叫做画面的"硬切"。

5.实际上，如果两段素材不位于同一轨道，但是二者在时间线上是相邻的，那么同样可以实现上述"硬切"的效果，这样做的弊端就是多占了一条轨道，如图8-1-26所示。

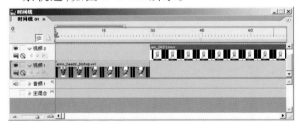

图 8-1-26　两段素材不位于同一轨道

6.若两段素材没有紧密相邻，则空白部分没有任何的素材信息，在预览时，则会显示为黑屏，如图8-1-27所示。

图 8-1-27　显示为黑屏

在后面的例子中，可以看到黑屏在制作特殊画面特效时的作用。应当注意，两段素材虽然被串接在一起，可以连续播放了，但实际上还是两段相互独立、可以分别拖动并加工的素材，而不是一个整体。

图8-1-28 被禁用的素材

被禁用的素材表面被灰色覆盖，用【监视器】预演影片的时候，禁用素材不再出现。被禁用的素材仍在【时间线】窗内，仍可以对被禁用的素材进行移动、剪断等操作，被禁用素材始终会占据【时间线】窗中的部分编辑空间，直到把被禁用素材删除。

3.单击【时间线】窗，单击轨道栏左侧的 🔒【锁定轨道】图标，出现锁定标记，表示已将该轨道整个锁定禁用了，如图8-1-29所示。

图8-1-29 被锁定轨道

无法对被锁定禁用的素材进行操作，直到再单击🔒【锁定轨道】图标，锁定标记消失，方可对整个轨道进行操作编辑。

锁定与禁用都是Premiere Pro中的保护性操作，被锁定和被禁用的素材，在【时间线】窗中，用灰色斜线和灰色来表示，但两种操作的具体作用并不相同，最主要的区别在于：禁用的内容可以被改变，而锁定不能，使用中应注意加以区分。

要点

通常看到的影视作品，大多都是由很多经过剪裁的片断串接而成的。在Premiere Pro中，可以非常方便地完成一个串接的操作。这里所说的串接，就是指把两段独立的素材拼接在一起，从而实现连续的播放。可以把两段视频素材进行拼接、把两段音频文件进行拼接、把两段静止画面素材进行拼接，还可以实现视频素材与静止画面之间的拼接。这些操作都属于素材的串接操作。本节中讲解的是两段视频素材的串接操作过程，其他串接操作的过程与此类似。影视制作中，最常用的"硬切"就是素材间最简单的一种串接方式，这一方式在Premiere Pro中是很好实现的，只需在【时间线】窗中，把两段素材装配到同一轨道上，并使之紧紧相邻就可以了。本节中主要讲解了这种方法，实际影片在制作中，为了增强可看性，往往会应用一些特技来美化画面的特效过程，这些特技特效，将在后面的章节中进行较为详细地讲解。

操作：锁定与禁用一段视频素材

1.用鼠标右键单击要禁用的选项，在弹出的菜单里选择【激活】命令，该素材即被禁用。

2.被禁用的素材上盖以灰色，无法再对被禁用的素材进行操作，直到在该素材上单击鼠标右键，再次选择【激活】命令进行解禁，如图8-1-28所示。

要点

通过上一个例子可以知道，在素材的编辑过程中，对某一素材的操作，往往会导致其他素材发生改变，例如，直接插入操作就改变了与新素材同轨道、同时间段的素材在时间线上的位置。有的时候，这种变化是不需要的，为了避免这种情形的出现，Premiere Pro提供了锁定素材的功能。通过锁定某一段素材，可以把这段素材的长度、时间线位置等各项属性固定下来，不会由于外因而改变。还可以对整个一条轨道进行锁定,以防止意外造成的变化。锁定是影片制作中一项很重要的安全性措施。当想要删除某段影片中不需要的素材,而又担心删除操作会造成意外影响的时候,就可以先将该素材锁定,然后预演整个影片,如果没什么异常的话,就可以放心地删掉这段素材了。另一种情况是当【时间线】窗里的多条轨道上有多个复合素材的时候,为了观察其中一些素材的预演情况,可以暂时禁用其他的素材。

操作:为项目加入一段音频素材

1.在【项目】窗中,找到要添加的音频文件。

2.将音频文件装配到音频轨道上。对音频文件也可以进行直接插入和覆盖插入的操作,但是音频素材文件的插入,只会影响到其他的音频素材文件,如图 8-1-30 所示。

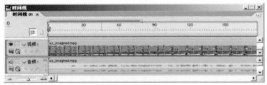

8-1-30　将音频文件装配到音频轨道上

3.【时间线】窗的【选择工具】按钮被按下时,可以拖动音频素材到当前轨道的其他位置或其他的音频轨道上。

4.可以在【时间线】窗的音频轨道上,单击【固定轨道输出】图标,对音频素材文件进行禁用,单击【锁定轨道】图标,对音频素材文件进行锁定等操作,如图 8-1-31 所示。

图 8-1-31　锁定与禁用操作

5. 将鼠标箭头移动到音频素材两端的位置上,鼠标箭头变为图示的形状,此时左右拖动鼠标,可以改变音频素材的长度,如图 8-1-32 所示。

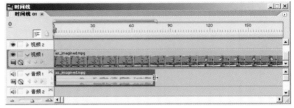

图 8-1-32　鼠标箭头变为图示的形状

音频素材被缩短,应注意此处对音频素材进行的操作是剪断,即剪掉素材多出来的部分,而不是进行音频的压缩。【时间线】窗中,音频素材的缩短,并不会影响到【项目】窗中相应的素材文件,被缩短的音频素材,还可以被拉长,即恢复其被剪掉的部分。但最长不会超过该素材原来的长度。

要点

对于一部完整的影片成品来说,声音的效果是非常重要的。Premiere Pro 中支持使用多种格式的音频文件。包括 Audio Inter-change 类型(*.aif)和 Windows Waveform 类型(*.wav)。为了便于播放声音文件和编辑声音文件,使用的计算机必须配有一块声卡。现在绝大多数的声卡都带有声音捕获软件,可以用来生成声音波形文件。实际上,Windows 附件中的录音机,就是一个具有简单的声音捕获功能的应用程序。除此之外,许多视频捕获卡,在捕获视频信号的同时,也会捕获到相应的数字化声音信息。

但一方面,影片中的声音素材有很多不是与视频素材同步的,而是要单独录制;另一方面,有些音频素材要求有比较高的清晰度。拥有一块好的声卡,会使声音素材的捕获更为方便,音频素材在【时间线】窗中的装配与各项操作,类似于视频素材的装配与操作,不同之处在于音频素材,在【时间线】窗中有自己的轨道,因此通常很少会与视频素材发生时间位置上的影响和冲突。

操作:剪切、复制、粘贴素材

用【剪切】命令,不仅可以删除素材,还可以与【粘贴】命令配合,实现素材的快速移动。

1.首先在【时间线】窗口中,选定要改变位置的素材,如图8-1-33所示。

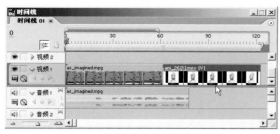

图8-1-33　选定要改变位置的素材

2.在菜单栏里选择【编辑】>【剪切】命令,或者在素材上面单击鼠标右键,在弹出的菜单里面选择【剪切】命令,快捷键为【Ctrl+X】,该段素材在时间线窗中消失了,如图8-1-34所示。

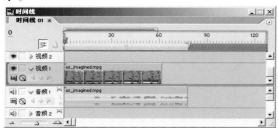

图8-1-34　该段素材在时间线窗中消失了

3. 找到该素材要移到的轨道,选定该轨道,选择菜单栏中的【编辑】>【粘贴】命令,把刚才剪切下的那段素材贴到这里,如图8-1-35所示。快捷键为【Ctrl+V】。

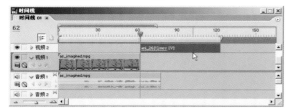

图8-1-35　把刚才剪切下的那段素材贴到这里

该段素材被贴到了新的位置上,而在原位置消失。如果不进行【粘贴】操作,则相当于删除了该段素材。素材被剪切后一直保留在剪贴板中,直到再次把别的素材复制到剪贴板。

4.进行完【剪切】操作之后,如果先选中另一段素材,而不是空轨道,再进行【粘贴】操作,则另一段文件被先前剪切掉的文件覆盖了,如图8-1-36所示。

这是使用中的一个小技巧,但也有可能造成误操作。

5. 也可以在选定素材对象后,对其进行【拷贝】操作,【拷贝】与【剪切】唯一的不同之处就在于它不会把该素材对象从原位置上删除。【拷贝】与【剪切】命令相配合,可以复制出多个完全一样的素材片断,快捷键为【Ctrl+C】。

【拷贝】、【剪切】、【粘贴】是素材编辑加工中的常用操作,通过熟练使用这些命令,可以快速地在不同轨道、不同位置上移动或者复制素材,使用三者的快捷键,可以使这些操作更为方便快捷。

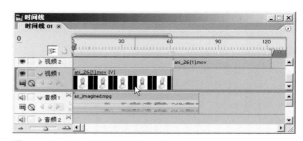

图8-1-36　被先前剪切掉的文件覆盖了

要点

可以对被装配到【时间线】窗中的素材文件进行【拷贝】【剪切】【粘贴】操作,对于这些操作大家并不陌生,因为当我们在进行Windows中的文本编辑和文件管理的时候,经常要和这三条命令打交道。事实上,这三条命令在Premiere Pro中起到的作用与它们在文本编辑或是文件管理中起到的作用基本类似,而在原理上,其实就是一样的。

当对【时间线】窗中的某一段素材使

用【剪切】命令的时候,系统将该段素材复制到剪贴板中,同时把它从【时间线】窗口中删除;【拷贝】命令则只把素材复制到剪贴板,而不进行删除操作;执行【粘贴】命令的时候,系统将剪贴板中的内容复制到当前位置,如果剪贴板中什么也没有,【粘贴】命令就会失效,菜单中此项变灰或变没。

在进行文本编辑或者文件管理的时候,系统进行的操作是一样的,只不过对象不是素材,而是文字或文件。在这里【剪切】是剪切的意思,这一操作与前面提到的剪断素材是两个完全不同的概念,请注意加以区分。

第二节　使用窗口组织素材

素材是影片制作的原材料,在影片的制作过程中需要合理、有效地对各种素材进行组织管理。通过上一节的讲解,已经初步了解了 Premiere Pro 中的【项目】窗,对素材文件的组织管理功能。

实际上,在从原始素材到影片成品的加工过程中,会生成许多不是以文件形式存在的素材片断,这些素材片断是无法用【项目】窗来进行管理的,而需要使用 Premiere Pro 中的【时间线】窗、【监视器】窗等窗口来进行管理。在本节中将讲解这些窗口如何实现对素材片断的管理,这些窗口以何种方式容纳并控制素材,这些窗口为素材的加工提供了哪些服务性的工作,以及各种窗口的使用方法。

操作:设定一个高效率的工作环境

1.选择菜单栏中的【编辑】→【参数选择】→【综合】命令,打开整个系统的默认【参数】选项设置对话框,如图 8-2-1 所示。

图 8-2-1　默认【参数】选项设置对话框

2. 在【静止图像】选项设置中,可以设定 Premiere Pro 打开时的初始对话框,静止图像的默认长度,如图 8-2-2 所示。

图 8-2-2　静止图像的默认长度

3. 在左侧的列表中,还可以进行其他方面的选项设置。其中【自动保存】选项用于设定系统的自动保存的时间间隔值,可恢复上一步操作的次数等默认值,如图 8-2-3 所示。

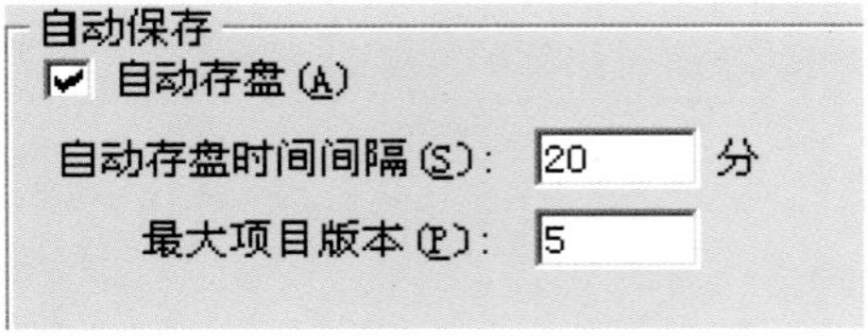

图 8-2-3　【自动保存】选项

4.还有一个【临时磁盘】选项用于设置捕获、预演影片时的临时工作磁盘空间,以及设置外接设备控制状况,如图 8-2-4 所示。

图 8-2-4　【临时磁盘】选项

5.在【时间线】窗左侧的 ▦【设定显示风格】中,可以根据需要设定【时间线】窗里的轨道显示方式选项,如图 8-2-5 所示。

图 8-2-5 轨道显示方式选项

6.在【项目】菜单下,选择【项目设置】>【综合】命令,在窗口中可以设置【时间线】窗口的显示格式,如图 8-2-6 所示。

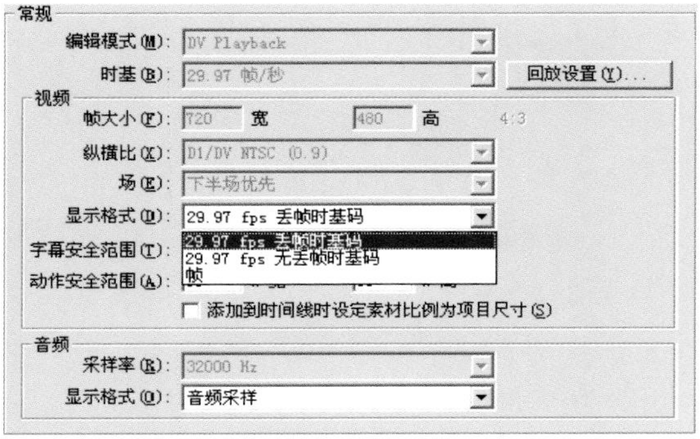

图 8-2-6 设置【时间线】窗口的显示格式

7.单击【监视器】窗口右上角的 ▶ 按钮,可以弹出选项菜单,在此可以设置【监视器】的显示方式与显示质量等,如图 8-2-7 所示。

图 8-2-7 【监视器】窗口显示设置

要点

磨刀不误砍柴工。在开始了解 Premiere Pro 中各种窗口的使用方法之前,先来讲解一下如何更改系统的设置,从而设定一套更高效更符合使用习惯的系统设置。首先介绍一下整个系统的默认选项设定,在这个设定窗口中,可以指定很多系统操作默认

的设定值。例如在打开 Premiere Pro 的同时,打开默认的对话框、磁盘空间不足警告、设定静止图像素材装配进【时间线】窗的初态、自动保存和恢复操作的默认选项、磁盘工作空间和设备控制等等。

对各种素材片断的加工,大多要在【时间线】窗和【监视器】窗中进行,通过合理设置【时间线】窗和【监视器】窗的窗口选项,可以使加工素材的思路更加清晰,也有利于加工一些有特别要求的片断。例如,有时候需要控制素材片断的帧数,有的时候又需要按照时间来确定素材的长短与位置,但必须改变时间线标尺单位和显示窗里的数字单位,才能实现这些目的。对【时间线】窗和【监视器】属性的设定要求,随时根据需要进行设定,也是素材加工过程中比较常用的操作。

操作:增加与删除编辑轨道

1.在【时间线】窗口中,右击左侧的某个视图轨道,在弹出的菜单中选择【添加轨道】命令,开启【添加轨道】设置窗口,如图 8-2-8 所示。

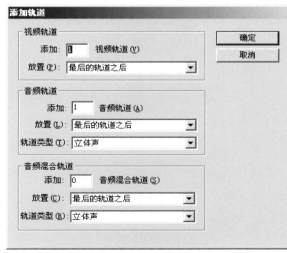

图 8-2-8 【添加轨道】设置窗口

2.根据需要添加视频轨道、音频轨道或音频混合轨道。首先设置需要添加轨道的数目,在选择放置轨道的位置设置完成后,单击【确定】按

钮,关闭设置窗口。

3.在【时间线】窗口中,右击左侧的某个视图轨道,在弹出的菜单中选择【删除轨道】命令,开启【删除轨道】设置窗口,如图 8-2-9 所示。

图 8-2-9 【删除轨道】设置窗口

要点

在 Premiere Pro 中,可以使用多条轨道对素材进行编辑。为什么素材的编辑需要使用轨道方式来操作呢?这是因为在一般影片制作的过程中,并不只是把所有的素材简单地排到一条时间线上,全部使用"硬切"就可以了。这种做法虽然容易实现,但是这样制作出来的影片单调沉闷,毫无生趣;当素材增多的时候,很难迅速有效地排列好所有的素材,思路容易混乱。更重要的一点是,音频素材与视频素材是无法在同一轨道上实现连接和混合的。而若使用 Premiere Pro 中的多轨道素材编辑方式,则不会出现上述的问题。

由于音频素材与视频素材分别处于各自专用的轨道上,可以直观迅速地实现视频素材与音频素材的同步播放。同时多个视频轨道可以协同工作,这就使得一方面可以以更清晰的思路组织大量的视频素材片断,另一方面

可以在影片中应用许多种特级效果,增强了影片的可看性,Premiere Pro 提供了 99 条视频轨道和 99 条音频轨道,完全可以满足一般需要了。

操作:使用视频 1 轨道组织素材的特效

1. 默认的视频轨道有视频 1 轨道、视频 2 轨道和视频 3 轨道。主轨道上的视频素材被默认装配到视频 1 轨道上。

2.可以用拖动的方法向视频 2 轨道上装载视频素材,也可以通过单击轨道名,激活视频 2 轨道为当前编辑轨道,然后进行各种插入式装配。

3.把某种特效方式装配进轨道。要求被应用特效的两段视频素材分别处于视频 1 轨道与视频 2 轨道中,并且在时间线上有一段相互重叠的时间长度,特效方式会自动调整长度与之相适合,如图 8-2-10 所示。

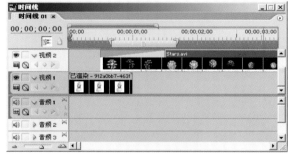

图 8-2-10 在时间线上有一段相互重叠的时间长度

4.为了使【时间线】窗中,能够显示更多的轨道,当不对视频 1 轨道进行操作的时候,最好将其他视频轨道关闭显示,合并为同一轨道。方法是再次单击轨道名前面的小三角,使之发生变化,如图 8-2-11 所示。

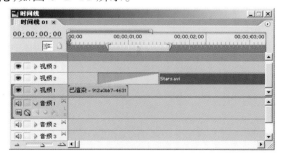

图 8-2-11 单击轨道名前面的小三角

要点

在众多的视频轨道之中，第一条轨道即视频1轨道的地位是比较特殊的。这倒不是因为它是第一条轨道，而是因为在这一条轨道上，实际包含着三条子轨道，这一特性是视频2轨道、视频3轨道和其他所有新增视频轨道都不具备的。正是因为有了这三条子轨道，才能利用视频1轨道进行多姿多彩的花式画面特效。而事实上，影片的画面特效基本上都是在视频1轨道中利用三条子轨道设计完成的。有关画面特效的各种具体方法，将在后面的章节中进行详细地讲解。本节介绍的重点是如何打开三条轨道及其各自的功能。三条轨道中，视频1和视频2、视频3轨道基本上是等价的。它们分别用于装配视频素材。特效轨道则是一条比较特别的轨道，因为在它上面不能装载任何视频素材，只能装载各种特效方式，用于实现影片从视频1轨道向视频2轨道的画面特效过程。

操作：使用其他视频轨道调整素材消隐

1. 单击视频轨道左侧轨道名前边的白色三角形标记，可以展开当前的主轨道并调出附加轨道，进行素材消隐的调整，如图8-2-12所示。

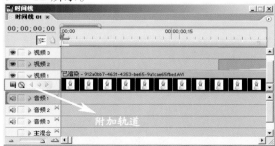

图8-2-12 附加轨道

2. 单击附加轨道上的 🚫【显示关键帧】按钮，选择【显示透明控制】命令，如图8-2-13所示。

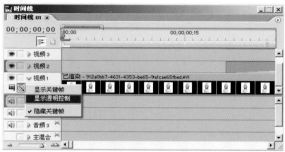

图8-2-13 选择【显示透明控制】命令

3. 在轨道素材中，会出现一条黄色的线，如图8-1-14所示。

图8-1-14 出现一条黄色的线

4. 这是透明控制线，使用【钢笔工具】，放置鼠标在黄色线上，向下拖动透明控制线，将会改变视频图像的透明度，如图8-2-15所示。

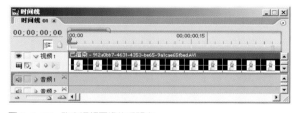

图8-2-15 改变视频图像的透明度

5. 单击视频附加轨道上的 ◇【删除/添加关键帧】按钮，该点处出现在透明控制线上，这就是所谓的【关键帧控制点】。通过用鼠标拖动控制点，改变控制线的形状，就可以调整素材的透明度变化状况。最上方为原始透明度，最下方为不透明，如图8-2-16所示。

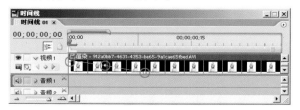

图8-2-16 改变控制线的形状

可以在控制线上设定多个控制点,以实现素材消隐状况的多次变化。一般来说,一段素材上的控制点个数不宜过多,以防止因画面闪烁而带来观赏不便。

6.当附加轨道上的有些控制点不再需要时,就要把它们从附加轨道中删除。方法是用鼠标左键选中该点,点右键选择删除了该控制点消失。

7.按住【Shift】键后,可以用鼠标左键,选择多个控制点,进行这一个时间段内素材的消隐控制。

素材的消隐状况调整好以后,可以直接在【监视器】中观察变化。

在【时间线】窗中最多可以加入99条视频轨道,然而能进行素材特效编辑工作的只有第一条轨道。那么,其他轨道都在忙些什么呢?难道它们只是简单地起到一个"素材容器"的作用吗?当然不是的,Premiere Pro 并没有让这些轨道闲着,我们会发现其他这些轨道在【时间线】窗中的轨道名之前,也有一个白色的小箭头。通过单击这个小箭头,就可以展开相应的轨道,被展开的轨道中,多出了一条附加轨道,该轨道对应主轨道里的每一段素材,给出了一段单彩色区域。每一段这样的区域中,都有一条醒目的黄色线,可以通过改变这条黄线的折曲状况来设定相应素材的消隐变化。

这项功能主要是为了视频素材画面的淡入淡出而设计的,这一看似简单的功能,为素材片断的加工制作带来了很大的便利,利用这一功能可以随时随意地对视频素材的透明度衰减变化加以直观地控制,一些特级制作也要求配合使用消隐控制。

操作:使用音频轨道组织音频素材

1. 单击音频轨道左侧轨道名前面的白色三角形,可以打开音频轨道的附加轨,该轨道用于调整音频素材的强弱。

2.单击附加轨道上的◎【显示关键帧】按钮,选择【显示素材卷】命令。通过对增加的关键帧控制点的拖动,可以改变折线的形状,从而改变音频素材的强弱状况。

3.可以选定多个控制点,随心所欲地改变音频素材的强弱状况。中线以上为增强,以下为减弱,如图8-2-17所示。

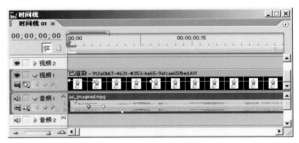

图8-2-17　中线以上为增强,以下为减弱

消除控制点的方法与上面讲解的视频轨道的方法相同。

4.可以用下列方法来调整音频素材的增幅。在音频素材所在的位置上,单击鼠标右键,在弹出的菜单中选项,需要的输入和输出方式,如图8-2-18所示。

图8-2-18　需要的输入和输出方式

5.如果加入了音频效果器,那么音频素材中,将会多出一条绿色的控制线,如图8-2-19所示。

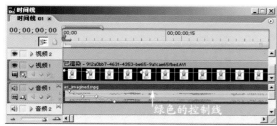

图 8-2-19 绿色的控制线

图 8-2-20 创建需要有编号的标记

2.将【时间标尺】移至需要标记的位置,右键鼠标,在弹出的菜单中,选择【设定时间线标记】>【下一个有效标记】菜单命令,创建需要的有效标记,如图 8-2-21 所示。

图 8-2-21 创建需要的有效标记

3.将【时间标尺】移至需要标记的位置,右键鼠标,在弹出的菜单中,选择【设定时间线标记】>【编辑其他编号】菜单命令,创建需要的有编号的标记,如图 8-2-22 所示。

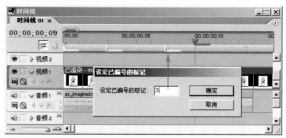

图 8-2-22 创建需要的有编号的标记

4.可以根据需要随时设定标记,标记的编号与其在时间上的顺序并无必然的关系。设定好标记后,可以在按住【Ctrl】键的同时,按下某个数字键,则时间标尺的游标将会自动跳至相应编号的标记处。

5.还可以在【时间线】窗里的素材上作出各种标记。在素材中作标记的方法与在时间标尺上做标记的方法基本相同,只需先选定要做标记的素材即可。每段素材上都可以有从 0 到 9 十个带编号的标记,彼此不会有影响,如图 8-2-23 所示。

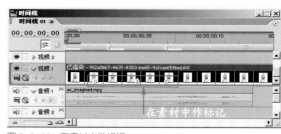

图 8-2-23 在素材中做标记

要点

在 Premiere Pro 中音频素材享有自己专用的轨道。可以将 *.aif、*.wav 等格式的音频素材文件引入这些轨道进行编辑加工。Premiere Pro 为音频文件的加工提供了很多实用的工具。事实上,在 Premiere Pro 中,无论是对音频素材的加工操作,还是对视频素材的加工操作,都是把素材作为时间线上的一段片断来进行处理的,因此二者之间有很多类似之处,这一点在素材的装配、剪断、串接等操作过程中都体现得很清楚。

音频轨道的使用方法与视频轨道相比大体上也是相近的。一般来说,在一部成功的影片作品中,音频素材并不是孤立的一部分。应当注意影片中音频素材与视频素材的搭配组合,以求合成后的最佳观赏效果。

多媒体制作中音频与视频素材的合成,在技术上有很多具体的问题。Premiere Pro 则可以把这些技术上的细节留给系统完成,专心从事影片创意的实现。应当指出的是,Premiere Pro 对音频素材的处理功能还是有限的,如果要对音频素材进行更复杂的加工,可以使用 Cool Edit 等专门用于加工音频素材的软件。

操作:在【时间线】窗中设置标记

1. 在【时间线】窗中将【时间标尺】移至需要标记的位置,单击 【设定未编号标记】按钮,创建需要未编号的标记,如图 8-2-20 所示。

6. 可以在 Premiere Pro 主窗口菜单栏的【标记】菜单中，找到关于标记的所有操作命令:【设定标记】、【定位标记】、【清除标记】等。在实际操作中，使用右键菜单比使用菜单命令要方便得多。

当不再需要某些标记的时候，应及时清除这些标记，以保持工作环境的整洁，同时也为以后再做新的标记提供了方便。

在素材处理的过程中，为了将某段素材与其他素材或特效方式进行精确的对正，需要在素材上建立位置标记。位置标记可以理解为素材片断中的"书签"，一个标记标志着这段素材上的一个特定位置。通过对标记的操作，可以快速地将素材定位于所需的位置，可以对时间标尺和时间线中的每一个素材片断设定各自的标记。

从理论上说，每一个素材片断上都可以被设置一千个标记，其中有十个可以用从 0 到 9 的编号加以识别。可以通过各种快捷键，迅速地建立、定位、删除时间标尺或当前素材上的标记。设立标记后，可以快速地查找标记所在的帧，可以方便地对其两个原本不相关的素材，特别是对视频素材与音频素材同步的处理变得很容易了。

关于如何使用素材的标记进行对齐操作，将在下一节进行详细地讲解。无法对静止画面素材做标记，实际上也没有这个必要。

操作:利用标记实现素材的对齐

1.单击【时间线】窗口，选择需要对齐某一个标记的视频和音频素材，拖动的标记处会出现黑色箭头符号，然后释放鼠标即可对齐，如图 8-2-24 所示。

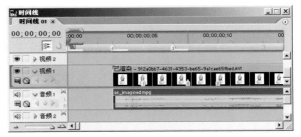

图 8-2-24　对齐视频和音频素材

假定【时间线】窗中，已经存在两个标记，一个在时间标尺上，一个在素材上，下面利用这两个标记进行一次对齐操作。

2.选择音频素材移动到素材上的标记位置。在标记处出现黑色标记时，表明已经对齐，释放鼠标即可对齐，如图 8-2-25 所示。

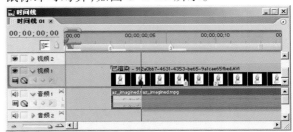

图 8-2-25　在标记处出现黑色标记

3.拖动时间标尺到素材标记处，然后拖动素材至时间标尺，拖动过程中，标记所在的位置出现一条纵贯整个【时间线】窗的长竖线，称作"对齐指示线"，它的作用与编辑线是一样的，都可以用来确定素材在时间线上的位置，如图 8-2-26 所示。

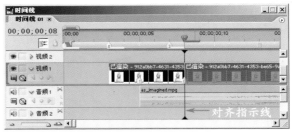

图 8-2-26　对齐指示线

当素材上的标记移近时间标尺上的标记的时候，两个标记可以在较小的范围内产生一个"相吸"的效果，使得两个标记点准确地对在一起。松开鼠标左键，则两个标记已经丝毫不差地对在一起了。

注意

如果先前没有打开【吸附】功能的话，两标记"相吸"的效果就不会出现，标记间也就不能用这种方法实现对齐了。

本例中，讨论的是素材与时间标尺的对齐操作，还可以在不同的素材之间进行对齐操作，甚至可以在同一素材中的不同标记之间进行对齐操作，这些对齐操作方法与上例都是一致的，只不过是操作的对象不同罢了。

要点

标记的一大重要作用就是进行素材之间的对齐。例如：想要使影片中的音频素材与视频素材进行同步放映的时候，就可以在这段音频素材和与之相应的视频素材上，分别建立一个同标号的标记，然后通过对齐操作，使这两条素材实现时间线上的对正。

在实际应用中，除了可以对齐同标号的标记以外，还可以有其他的对齐方式。例如，素材的标记可以和其他素材或特效方式的边缘进行对齐，有编号的素材标记，可以和其它所有无编号的素材标记进行对齐等等。

要实现上述这些对齐功能，必须首先选中【时间线】窗的【吸附】功能，使之有效。当把一个标记从它所在的素材上删除以后，该标记所在的位置，也就失去了对齐的功能。

操作：选定视频、音频轨道进行预演

1. 可以把某一段素材从【项目】窗中，直接拖动至【监视器】窗中的源素材预演区，即可对该素材文件进行预演。

2. 被装入源文件预演区的素材文件名都会被系统记录下来，显示在放映区下拉菜单的列表中，可以根据需要随时调取要预演的素材

文件，而不必反复地引入同一素材文件，如图8-2-27所示。图8-2-27根据需要调取预演素材文件。

图 8-2-27　根据需要调取预演素材文件

3.【监视器】窗中的右半部分，主要用于对素材编辑结果的预演，可以单击窗口以激活窗口，如图8-2-28所示。

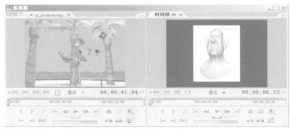

图 8-2-28　单击窗口以激活窗口

4. 可以通过单击【监视器】窗右上角的属性按钮，来改变显示窗的显示方式。通过此菜单可以选择【监视器】窗的显示方式。

5. 对于已经装配进【时间线】窗中的素材，可以直接在素材画面上双击鼠标键，该素材就会在【监视器】窗中被打开，其源素材的名字加入【监视器】窗中的文件列表。

6. 可以通过【监视器】窗上的工具按钮，随意浏览【监视器】窗列表中的音频、视频素材，并进行放映、循环、退一帧、进一帧，以及设置入点与出点等操作。

要点

【监视器】窗也是 Premiere Pro 中的一大主要功能窗口。它集显示、监控、编辑等多种素材操作功能于一身，与【时间线】窗口相配合，在素材加工的过程中，

发挥着非常重要的作用。使用过 Premiere 其他版本的人，大概曾有过这样的感觉，在素材编辑过程中，经常要对当前正在处理的素材内容进行查看，这就需要经常进行打开、关闭素材窗的操作。由于每一个素材都对应有自己的素材窗，因此当素材数目增多的时候，必须关闭其中的部分窗口，以保持屏幕画面的简洁。考虑到这一点，Premiere Pro 对此进行了改进，它把素材窗做成一个常规性的窗口，即现在的【监视器】窗口。该窗口平时可以一直出现在工作环境中，需要浏览哪一段素材，就让它播放哪一段素材，用一个窗口就可以浏览所有的素材。同时，这个窗口中又集成了低版本 Premiere 中编辑结果预演窗的功能，使得预演时不必再用一个单独的窗口来演示工作的成果。通过减少同时出现在屏幕上的窗口，使工作环境大大得以简化，这是 Premiere Pro 工作环境的一大优点。

操作：利用【监视器】窗剪辑素材

1.在【监视器】窗中，可以进行素材的剪辑、插入等操作。这种操作是通过对素材进行入点和出点的设置来完成的。为了方便进行插入、覆盖等操作，【监视器】窗最好设定为【双显】模式。

2.首先在源文件预演区内装入需要进行编辑的源素材文件。可以直接把【项目】窗中的素材拖动至此，也可以单击【时间线】窗中的素材，使之在此打开。

3.放映素材至想要设立入点或出点的位置。可以用鼠标指针拖动放映区下方的游标和履带条来进行素材画面的定位，用退帧按钮和进帧按钮，进行更为精确的定位。

4.找到合适的位置后，可以单击 【入点】按钮，为素材设定入点，即起始点。或者单击 【出点】按钮，为素材设定出点，即终结点。原始素材的起始点和终结点是默认的入点和出点，如图 8-2-29 所示。

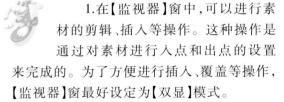

图 8-2-29　为素材设定入点和出点

5.设定好入点和出点之后，这段素材的剪辑就完成了，可以直接在【监视器】窗放映区内使用片断放映按钮，来预演剪辑的结果。如有不合意之处可以按【G】键，将素材恢复至剪辑前的状态。

6.在【监视器】窗右部的素材编辑结果显示区，可进行同样的操作来设定整部影片的入点和出点。利用【时间线】窗中部的工具按钮，可以将原始素材显示区剪辑过的素材插入或覆盖到素材编辑结果显示区所显示的影片中。

应当注意，剪辑操作不会改变素材源文件。实际上，即使在剪辑操作之后，同样可以使用按钮对放映区中整个原始素材的内容进行放映。

要点

【监视器】窗，还可以进行素材的剪辑工作。我们已经知道在 Premiere Pro 中，可以利用【时间线】窗来进行素材的剪辑，这种剪辑更注重的是处理各种素材之间的关系，特别是位于【时间线】窗中不同轨道上的素材之间的关系，从宏观上把握各段素材在时间线上的进度。但很多时候，在剪辑素材时，更注重的是素材的内容。

例如，在出现特定的某一帧画面的时候，对视频素材进行剪断操作，固然可以将【时间线】窗与【监视器】窗配合使用,来完成这种剪辑操作,但这种方法远不如直接使用【监视器】窗进行剪辑方便。

素材的剪辑过程,实际上就是对该素材片断的入点和出点进行设置。所谓"入点",就是指素材剪辑完成后的开始点,对于视频素材而言,就是指其第一帧画面。"出点"则是指素材剪辑完成后的结束点,即视频素材片断的最后一帧画面。通过改变入点和出点的位置,即可实现素材长短的改变。

使用【监视器】窗对入点和出点进行设置的好处就在于,可以通过【监视器】窗对视频素材每一帧画面的内容了如指掌,从而根据素材内容进行比较精确的设定。

操作:使用联合显示标记显示素材

联合显示要求同时打开【监视器】窗上的两个放映区,分别显示两端素材的内容。设左图为素材1,右图为素材2,下面介绍如何通过联合显示,判断素材1中入点和出点之间的部分,在素材2中的相应长度。

1. 接下来设置两段素材进行联合显示的初值。用鼠标拖动放映区下方的游标。设定初值为素材1的第240帧,素材2的第100帧。

2.在【监视器】窗口的属性菜单下,选择【群组素材和节目】,这样两端素材就可以进行联合显示了。

3. 用鼠标拖动素材1放映区下方的游标或履带条,则两个放映区里的素材共同进退。拖动素材2放映区下方的游标或履带条,可以有同样的效果。

4.将游标拖到所需位置后松开鼠标左键,则素材2也到了它的目的地。此时,就可以在素材2上,做入点和出点标记,或者直接进行素材的插入、覆盖等操作了。

5.要精确地定位游标位置的时候,就需要使用游标上方的履带条。拖动履带条时,素材

进退的单位会比直接拖动游标小一些,也可以单击素材下方的按钮来单帧移动游标,如图8-2-30所示。

图8-2-30 单帧移动游标

当【监视器】窗处于联合显示状态时,在两个放映区都可以操作。

要点

打开【监视器】窗后,会发现在【监视器】窗中,共有两个用于放映素材的区域。左半部分,主要用于各种素材片断内容的检阅浏览,其功能大致相当于原来Premiere中的素材窗;右半部分则主要用于演示素材片断装配进【时间线】窗轨道,并进行加工后的效果。

事实上,这两个有不同侧重方向的显示区域还可以相互配合,进行两段素材之间的联合显示。所谓联合显示,就是通过显示窗中的联合显示标记的设定,实现左右两个显示区域中素材的同步播放。联合显示的目的是把某一素材片断的内容或者帧数作为参照,对另一段素材进行预览或剪辑。

例如,有的时候需要了解将某段素材插入一段影片后,该素材在影片中占用了多少时间。如果用素材和时间单位去进行计算的话,又麻烦又容易出错,这时最方便的方法就是从影片中插入素材的位置开始,把影片和素材在两个放映区中同时放映,观察当影片放到何处时素材结束,这就是联合显示。利用联合显示,可以快速地选定影片中素材的入点和出点。

操作:如何设定【特效】窗属性

1.在菜单栏中选择【窗口】>【特效】菜单命令,打开【特效】窗口。其他的窗口,也可以在【窗口】菜单中打开。对应的命令为【历史记录】、【信息】。

2.也可以在【项目】窗中,单击【特效】标签。在【特效】窗中,共包含了100多种特效方式,可以在编辑影片的时候加以选择, 如图8-2-31所示。

图 8-2-31　共包含了100多种特效方式

3.可以选定【特效】窗中的某一种特效方式,并直接用鼠标将其拖动到【时间线】窗的轨道上,【特效】方式不能被放置到除特效轨道外的任何一种轨道上。

4.单击【监视器】窗的【特效控制】标签,可以开启特效属性设置窗口, 如图 8-2-32所示。

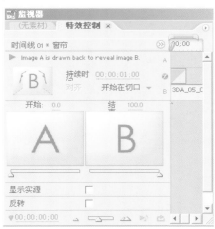

图 8-2-32　开启特效属性设置窗口

特效窗口也可以以独立的窗口显示, 只需将其从主窗口分离出来即可。

要点

在 Premiere Pro 中, 为了使影片编制的过程更为方便, 系统提供了四个实用性较强的工具窗口。它们就是【特效】窗、【特效控制】窗、【历史记录】窗和【信息】窗。这些工具窗口虽然体积不大, 功能也不像【时间线】窗和【监视器】窗那样丰富, 但是它们为编辑影片的过程带来了很大的方便。因此很有必要了解这些窗口的使用方法。在这四个工具窗口中,特效窗的重要作用尤为突出, 在这个窗口中, 提供了系统中所有100多种特效方式的列表,还可以根据自己的使用习惯, 或者工作中的实际需要,来重新制定这个列表。

例如, 隐藏、显示某种特效方式、设定列表的显示方式、列表排序、引入自定义特效方式等等。

影片中所有特效方式的添加, 都离不了这个窗口, 必须首先打开这个工具窗口, 才能选定某一种特效方式,设定这种特效方式的具体属性并最终将之添加进【时间线】窗的视频轨道中,实现一个素材之间的特效。可以说, 是否能熟练地使用【特效】窗, 是成功为影片应用特效的关键所在。

第三节　素材加工

素材加工是一项细致繁琐的工作,需要投入大量的细心与耐心。在加工的过程中,功能齐全、顺手易用的工具,更是不可缺少的。Premiere Pro 为影片中的素材加工提供了丰富实用的工具。这些工具根据其各自的使用特点, 被放置在 Premiere Pro 界面里适当的位置上, 供随手取用。【时间线】窗是各种素材片断的加工厂, 与 Premiere 中的【构造】窗相比，其中集成了更多的工具按钮、更强大的轨道编辑功能。本节中，将着重对【时间线】窗中的各工具按钮的用法给出详细的实例讲解。本节内容有较强的操作性，必须充分结合实践才能熟练地掌握。

操作：使用 ▶【选择工具】选定、移动素材

1.工具栏位于工作区中，工具栏中被按下的按钮，表示当前正在使用着的工具。在工具栏中单击 ▶【选择工具】，快捷键为【V】，如图 8-3-1 所示。

图 8-3-1　图工具栏

2.选定 ▶【选择工具】后，鼠标箭头无变化。此时用鼠标单击【时间线】窗中的某一段素材，则该素材的颜色加深，表示该素材已被选中了。

3.把鼠标指针移到该素材上，按住鼠标左键不放，并拖动鼠标可以将素材拖到其他轨道或者当前轨道的其他位置上去，松开鼠标左键，则该素材在松开的位置"安家落户"。

对于静止画面素材和音频素材，【选择工具】可以发挥更大的作用，它不仅可以改变这些素材在【时间线】窗中的位置，还能改变它们的长度。

4.将鼠标指针移到静止画面素材的边界，鼠标指针会变为两边带箭头的红竖线形状。此时按下鼠标左键，并左右移动鼠标，即可以改变静止画面素材。在【时间线】窗内的长度，如图 8-3-2 所示。

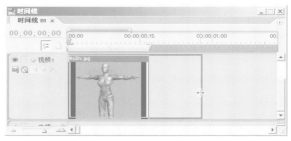

图 8-3-2　改变静止画面素材的长度

音频素材的长度，也可以用上述方法进行改变。不同之处在于音频素材的长度，只能比原始的素材长度短，被缩短的音频素材在播放时，保持原来速度从头播放，到终点戛然而止；改变【时间线】窗中视频素材的长度，也可用上述方法实现，但视频素材的长度改变，即设置入点和出点，往往对精确度有更高的要求，最好采用其他的工具。

要点

在【时间线】窗的左边，如果仔细观察会发现其中一些按钮的右下方有一个小小的三角形箭头。把鼠标指针移到这样的按钮上，按住鼠标左键，会发现"隐藏"在该按钮中的一些扩展功能。按住鼠标左键，把鼠标指针移到某一功能命令上，并释放鼠标左键，会发现该按钮上的图标变成了刚才所选的功能。操作又可以称为"激活"该按钮的功能，而且位于同一按钮的各种功能比较相近，便于记忆它们的位置，一般不会出现找不到想要工具的局面。

在按下了某一种工具按钮之后就可以用鼠标在【时间线】窗内进行这种按钮当前指定的操作了，这些工具按钮中，最常用的就是第一个按钮【选择工具】。这一工具是【时间线】窗中的默认工具，每次打开 Premiere Pro 的时候，【时间线】窗都会自动指定【选择工具】为当前使用的工具。在上一节的实例中，已经对这种工具有了感性的了解。在此，让我们来全面地总结一下它的功能。

操作：使用【轨道选择工具】进行轨道操作

1.在【时间线】窗工具栏中，选定【轨道选择工具】，或使用快捷键【M】切换，鼠标指针变为横向单箭头，如图 8-3-3 所示。

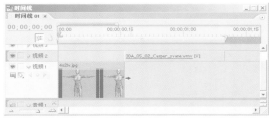

图 8-3-3　鼠标指针变为横向单箭头

2.单击轨道上的素材，则该素材以及该素材之右的所有同轨道素材可以被同时选中。可以整体拖动被选中的同轨道素材，并移动它的位置。

3.松开鼠标左键，被选中的同轨道素材，则被整体移到了新的位置。通过【轨道选择工具】，可以方便而迅速地选中同轨道上的多个素材，当轨道中素材较多的时候其优势尤为明显。

4.使用【轨道选择工具】时，被选中的素材都是连续的。可以自行选择第一个素材的位置，定位的标准就是时间标尺上随鼠标位置变动的短竖线。

5.如果在按住【Shif】键的同时，出现双横向箭头，对不同轨道上的素材进行选择，则可以同时选中不同轨道上的素材系列，每条轨道上的首位置可以不同，如图 8-3-4 所示。

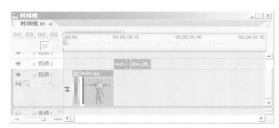

图 8-3-4　出现双横向箭头

如果想要同时选中【时间线】窗中每一条轨道上的素材，【轨道复选工具】无疑是个好帮手。使用【轨道复选工具】时，同样要注意首位置的选择。

6.在使用【轨道选择工具】的状态下，按住【Ctrl】键，则当前工具暂时被切换为【选择工具】，直到【Ctrl】键被松开；在使用【轨道复选工具】的状态下，按住【Shift】键，则当前工具暂时被切换为【轨道选择工具】，直到【Shift】键被松开。

需要注意的是，不再需要使用【轨道选择工具】的时候，最好及时将当前工具换为【选择工具】，以避免误操作。

要点

在使用 Premiere Pro 进行影片编辑的时候，轨道是一个比较重要的工作区域。有很多操作要求对同轨道上的所有素材进行操作。

例如整个轨道的平移、删除等等。Premiere Pro 提供了【轨道选择工具】，大大方便了对同轨道素材的选定。可以通过单击某轨道上的某一段素材，即可选定该轨道上自该素材开始的所有素材，而不必再对每一段素材——选取。【轨道复选工具】则可以同时选定多条轨道上的素材。这些素材可以是整条轨道上的素材，也可以是【时间线】窗中自某一个时间点开始的素材。

制作：应用波纹编辑工具与旋转编辑工具

　【波纹编辑工具】——拖动素材的出点，可以改变素材的长度，而轨道上其他素材的长度不受影响。

　【旋转编辑工具】——用来调整两个相邻素材的长度，两个被调整的素材长度变化是一种彼此消长的关系，在固定的长度范围内，一个素材增加的帧数，必然会从相邻的素材中减去。

操作：使用【波动编辑工具】和【旋转编辑工具】处理素材

1.在工具栏中，单击　【波纹编

辑工具】,快捷键是【B】。将鼠标指针移到静止画面素材或动态素材的边界,鼠标指针会变为两边带箭头的红竖线形状,此时按下鼠标左键,并左右移动鼠标,即可以改变静止画面素材或动态素材在【时间线】窗内的长度,如图8-3-5所示。

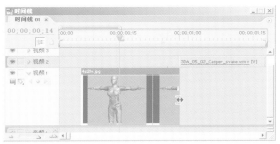

图8-3-5 改变静止画面素材的长度

2.在工具栏中,单击【旋转编辑工具】,快捷键是【N】。将鼠标指针移到静止画面素材或动态素材的边界,鼠标指针会变为两边带双箭头的红竖线形状,此时按下鼠标左键,并左右移动鼠标,即可以改变静止画面素材或动态素材在【时间线】窗内的长度,如图8-3-6所示。

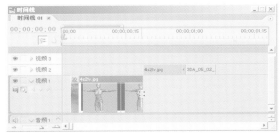

图8-3-6 鼠标指针会变为两边带双箭头的红竖线形状

 要点

如果希望快速改变【时间线】窗中某一个独立素材的时间长度,同时又不要求影片整体时间保持不变的时候。则可以使用【时间线】窗工具栏中的【波纹编辑工具】。【波纹编辑工具】的作用是在不影响【时间线】窗里同一轨道上所有其他素材持续时间的前提下,改变某一段素材的持续时间。在【波纹编辑工具】方式下,被编辑素材

的出点随鼠标指针而变化,它的所有后续素材将跟随被编辑素材的出点做平移运动。

【波纹编辑工具】与【旋转编辑工具】的用法有着重要的区别。可以说,【旋转编辑工具】是从影片的整体出发,照顾总的时间长度,同时对两段素材的时间长度进行编辑;而【波纹编辑工具】则是从个别的一段素材出发,其目的就在于确定一段素材的时间长度。明白了两者的区别,用户在使用时就可以根据实际情况,选择正确的工具了。通过设置【时间线】窗的属性,可以让【监视器】窗即时显示被编辑素材的边缘,使编辑操作更为准确。

操作:使用【比例延伸工具】改变素材速率

1.选定工具栏中的【比例延伸工具】,快捷键是【X】。当鼠标指针移到素材边缘的时候,CS指针形状变为红竖线和斜箭头的形状,此时可以对素材进行速率的调整,如图8-3-7所示。

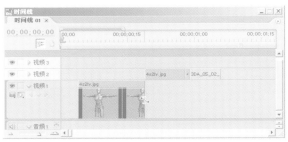

图8-3-7 指针形状变为红竖线和斜箭头的形状

2.用鼠标左右拖动素材的边缘部分,则素材边缘的延长线会随鼠标指针移动。可根据此延长线确定移动的终点位置。

3.当对素材的持续时间有具体要求的时候,可以通过右键菜单选择【速度/持续时间】参数对话框,来具体设定素材需要持续的时间(帧数),如图8-3-8所示。

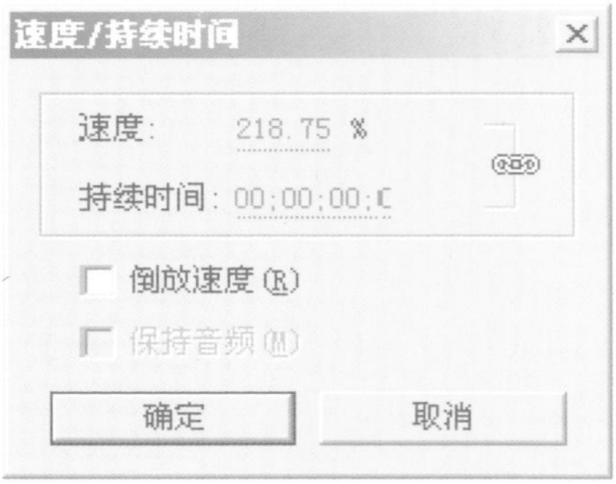

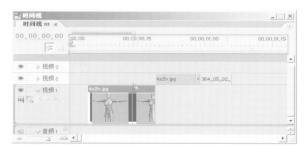

图 8-3-8　具体设定素材需要持续的时间（帧数）

选择【速度/持续时间】命令后，系统弹出【速度/持续时间】的对话框，可以在其中输入具体要求的持续时间（或帧数），这个时间的单位取决于当前【时间线】窗口的单位。

4.也可以通过【速度】选项，来进行更为具体的设定。在【速度/持续时间】对话框中，除了可以按照持续时间来规定素材的变化，还可以选择按照素材增快的倍数来设定素材的新速率。

5.单击【确定】后，则素材的速率被改变，其时间长度同时也有了相应的变化。此例中将素材的速率增大为原来的218.75%，则其帧数相应的变为原来的一半多。可以通过【监视器】窗直接预演变化的结果。

应注意，【选择工具】与【比例延伸工具】虽然都可以控制素材的持续时间。但是前者是把素材多余的部分切断，并且不能够延长原始素材；而后者则可以把素材像橡皮筋一样地拉长和缩短。

要点

在影视作品中，经常会看到一些类似这样的情景：画面中一切事物的运动，都比真实世界中的情况要快上很多，或者慢上很多，这就是常说的快动作和慢动作。这些效果可以通过在摄影时控制胶片移动的速度来实现，而对于已经摄制好的素材，可以利用Premiere Pro中的【比例延伸工具】来实现这种效果。

【比例延伸工具】的功能，就是改变某段素材在【时间线】窗中的持续时间，同时对素材放映的速率进行调整，使之与新的持续时间相适应。如果对素材的持续时间或速率变化的要求不那么精确，或取决于别的素材，那么使用【比例延伸工具】是个明智的选择，不必去和数字打交道，只凭鼠标操作就可解决一切问题；但有时候对某段素材的速率调整必须用具体倍数来控制，此时就应当使用菜单栏中的【速度/持续时间】选项了。通过这两个选项，可以用具体的加速倍数和持续时间数（帧数）来控制素材的播放速率。

操作：使用【剃刀工具】分割素材

1.选定【剃刀工具】，快捷键是【C】。将鼠标移至想要分割的素材上，此时光标变为刀片状，如图8-3-9所示，表明可以执行操作。

图 8-3-9　此时光标变为刀片状

2.单击要分割的素材，根据分割的时间，产生两个新的素材段。

3.根据需要，可以执行移动、删除等操作。

知识点

【剃刀工具】是用于分割素材，选择【剃刀工具】后，单击素材，会将素材分为两段，产生新的入点和出点。在编辑影片中，使用这个工具是非常重要的，也是常用的。

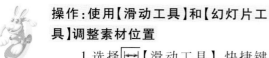

操作：使用【滑动工具】和【幻灯片工具】调整素材位置

1.选择 【滑动工具】，快捷键是【Y】。把鼠标指针移到要进行滑动操作的素材上，鼠标指针的形状会有变化，此时拖动该素材，即可进行内部滑动操作，如图8-3-10所示。

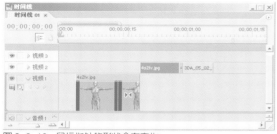

图8-3-10 鼠标指针的形状会有变化

2.滑动操作的效果，在【时间线】窗中并不明显，必须在【监视器】窗中进行监视。左右两端的画面，分别是前一素材的出点和后一素材的入点，中间两幅画面，表示选定素材的入点和出点，数字表示平移的帧数。

3.可根据需要左右移动选中的素材，直到【监视器】窗中显示的画面能够满足需求。编辑完成后，可以直接使用【监视器】窗预演编辑结果。

4.选定 【幻灯片工具】对素材进行操作，快捷键是【U】。

只有当鼠标指针移到这样的素材上时，鼠标指针的形状才会改变：该素材前后都有同轨道的其他素材相邻。

5.用鼠标左右拖动素材，则该素材在轨道上随鼠标左右滑动。与此同时，前一素材的出点和后一素材的入点都被改变，而素材则仅仅发生位置上的变化，其内部的入点和出点保持不变。

6.为了使素材的定位更为准确，最好打开【监视器】窗，对编辑情况进行监视。根据显示窗画面中的数字显示，可以得知当前移动的方向和时间长短（帧数）。

无法使用各种【滑动工具】直接对【时间线】窗中的音频素材进行编辑。但是，如果该音频素材与【时间线】窗中的某段视频素材建立了链接，则对视频素材进行滑动编辑的同时，也会影响相应的音频部分。

知识点

在Premiere Pro中，新增了两种用于编辑素材的滑动工具，它们是【滑动工具】以及【幻灯片工具】。这两种工具使用的位置相同，而起到的作用却大不相同。使用【滑动工具】时，选中素材在【时间线】窗中占据的时间段保持不变，而该素材的入点和出点，做同步的平移运动，与该素材前后相邻的其他素材不会受到影响。可以把当前选中素材占据的位置想象成一个窗口。

所谓"滑动"，就是把选定的素材在这个窗口的后面左右滑动，直至窗口中显示出的就是所需的部分。【幻灯片工具】则与之不同，它的作用是确保被选定的素材保持不变，而改变同轨道中与该素材前后相邻的两个素材的入点和出点。前面素材的出点被改变，后面素材的入点被改变，二者的改变都是由于被选中素材在轨道中的移动而造成的。

【滑动工具】可以应用于【时间线】窗中的任何一段视频素材，但若该素材未曾经过剪裁，则对它的滑动操作无效。【幻灯片工具】只能应用于夹在两段素材之间的一段视频素材，并受到两边素材原始长度的限制。

【钢笔工具】——主要用于调整关键帧，快捷键是【P】。

【手动工具】——用于改变【时间线】窗口的可视区域，在编辑一些较长的素材时，以便于观察，快捷键是【H】。

【缩放工具】——用来调整【时间线】窗口中显示的时间单位。按【Alt】键，可以在放大和缩小模式之间进行切换，快捷键是【Z】。

操作：使用【缩放工具】调整时间标尺

1.单击【时间线】窗工具栏中画有放

大镜形状的按钮,即可以使用缩放工具。

2.选定缩放工具后,鼠标指针变为带加号的放大镜,此时在素材片段上,单击鼠标左键,即可实现对素材的"放大"。

这里所说的"放大",并不是指对某一段素材的放大,而是指通过改变时间标尺单位长度表示的时间数(帧数),来改变所有的素材在【时间线】窗内所占的长度。如图 8-3-11 所示,可以看到"放大"的效果。

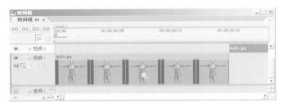

图 8-3-11　可以看到"放大"的效果

3.连续单击鼠标的左键,可以连续加长素材在【时间线】窗中的长度,直到【时间线】窗中时间标尺的单位变为 1 帧时,就无法再加长素材的长度了。

4.当按住【Alt】键的时候,鼠标指针变为带减号的放大镜,此时单击鼠标的左键,可以缩短素材在【时间线】窗中的长度,连续单击鼠标左键,可以连续缩小。

5.可以通过在【时间线】窗口中拖动鼠标选定一个矩形,松开鼠标左键后,该矩形内的素材部分将充满整个【时间线】窗的显示范围。

6.当缩放过程完成后,有可能想要加工的部分不在【时间线】窗中,此时可以选用【手动工具】,卷动【时间线】窗找到素材。

知识点

在前面的章节中,已经讲解了几种改变【时间线】窗时间标尺的方法。下面再讲解一种用于调整时间标尺单位的工具,它就是【时间线】窗工具栏中的缩放工具。缩放工具的作用,就是通过改变【时间线】窗的时间单位来改变素材在【时间线】窗中的显示长度,使其可以对素材的细节有更

清楚的了解,可以进行更为精确的处理。因此在工具栏里,用于表示【缩放工具】的图表是一个放大镜。利用缩放工具,可以根据需要对整个时间标尺的单位进行调整。它的这一功能类似于【导航】左下方的比例尺调节滑块,而令某一时间段的素材充满当前【时间线】窗的显示区域,则是【缩放工具】所特有的功能。

【缩放工具】一般需要配合其他工具共同发挥作用。一种常用的组合是先用【缩放工具】将影片素材拉长,再用【剃刀工具】在合适的位置进行分割操作。可以使用快捷键【Z】,快速将当前工具切换为【缩放工具】。

第四节　设计字幕

在影片的制作中,经常会接触到一些制作字幕的工作。有时候需要为影片画面配上文字说明,有时候要为影片中的歌曲、对白、解说加字幕,有时候要为影片添加片头片尾的标题、工作人员表等等,特别是在科技题材的影片中,字幕的地位尤为重要。附加图形作为影片字幕的辅助成分,往往可以使影片的画面更为生动,附加图形的制作过程与字幕的制作是类似的。本节中将讲解使用 Premiere Pro 提供的字幕编辑器,制作字幕和各种附加图形的方法。

操作:创建字幕"Premiere Pro"

1.可以在菜单栏中,选择【文件】>【新建】>【字幕】菜单命令,打开 Adobe 字幕设计编辑器,并同时新建一个字幕素材文件,如图 8-4-1 所示。

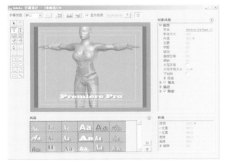

图 8-4-1　新建一个字幕素材文件

2.字幕编辑器左侧是工具栏,其中包括各种常用工具;右侧是专门用来设置字体属性以及处理颜色、渐变、阴影的加工区域。

3.单击工具栏中的【T】按钮后,就可以在字幕编辑器的编辑区中书写所需的字幕文字了。

4.将鼠标指针移到编辑区中,任选一处单击鼠标左键,则编辑区中会出现一个虚线框,这个虚线框标定了当前编辑文字的区域范围。

5.可以在虚线框中闪烁的光标处,输入需要的字幕文字,例如,"Premiere Pro"。

Premiere Pro 中的字幕编辑器,支持汉字的输入,因此对我国用户来说使用非常方便。

6. 字幕编辑器打开以后, 在菜单栏中的【字幕】菜单下的功能可用,可以使用这一菜单中的选项对字幕素材进行各种加工, 如图8-4-2所示。

字幕 (I) 窗口 (W) 帮助 (H)	
字体 (F)	▶
大小 (S)	▶
对齐 (A)	▶
方向 (D)	▶
自动换行 (W)	
表格停止 (T)...	Ctrl+Shift+T
模板 (M)...	Ctrl+J
左滚/上飞 选项 (R)	
标志 (L)	▶
转换 (N)	▶
选择 (C)	▶
排列 (G)	▶
位置 (P)	▶
对齐	▶
分散对象 (F)	▶
查看 (V)	▶

图8-4-2 【字幕】菜单

7.写完文字后,用鼠标单击背景部分,则文字部分以"层"的形式留在编辑区中,可以把这一层文字拖动到合适的地方。

知识点

在影视作品的制作中,有时候需要根据影片的内容,为影片中的素材叠加字幕,有时候需要为影片的开头加上标题,为影片的结尾加上创作人员名单,

以及制作公司等文字信息。在以往的专业影视制作中,需要使用专门的字幕机来完成上述任务。而 Premiere Pro 则可以通过 Premiere Pro 中自带的字幕编辑器来制作需要的字幕文件。在 Premiere Pro 中,字幕与附加图形必须作为一种素材文件 (*.ptl 文件)被引入【项目】窗,并且装入【时间线】窗。

在【时间线】窗中,一个字幕素材就相当于一个静止画面素材或动态素材。通过字幕编辑器,可以编辑、制作需要的字幕和附加图形文件。在字幕编辑器中,提供了许多种方便实用的工具, 使字幕编辑工作简便易行。

操作:对字幕字体进行设定

1.单击菜单栏中的【字幕】菜单,选择【字体】,或者在【字幕编辑器】的编辑区中选定的层上单击鼠标右键, 选择菜单中的【字体】,也可以在右侧的【属性】下,选择【字体】选项,屏幕上出现字体选项,可以通过这个选项来设定当前文字的字体、字体样式和字的大小。

2.可以根据需要对各项进行设定。

3.通过位于窗口下方的【风格】栏,选择一种预设字体的效果,每更改一次选项,该示例都会随之变化。

4.在以后的编辑中,还可以随时根据需要进行字体的设置。

5.对字体的大小进行调整后,当前层文字的版面可能会受到影响,此时可以用鼠标左键,拖动当前字幕文字框四角上的灰色方块来调整文字的显示区域,如图8-4-3所示。

图8-4-3 调整文字的显示区域

知识点

　　在字幕的制作过程中,往往对于字幕的字体会有各种各样的要求。例如,作为标题的字幕一般尺寸都比较大,而说明性的文字字号就要小许多。不同类型字幕中的字,往往大小(字号)都各不相同。一般情况下,可以使用宋体字作为中文字幕的默认字体,但为了使画面效果更为活泼好看,通常还要用到形形色色的其他字体,并加以粗体、斜体等效果。在 Premiere Pro 的【字幕编辑器】中,可以通过打开设置字体选项,随心所欲地设定所需的字体、字号等选项,或者对字幕素材文件中的当前设定进行修改。【字幕编辑器】的设置字体选项对话框,秉承了 Windows 中此类对话框的一贯风格,只需有基本的 Windows 使用经验,即可以掌握更改字幕字体设定的方法。

操作:使用拾色器自选颜色

　　1.在【字幕编辑器】中,展开【填充】选项,单击【颜色】选项旁的颜色块,开启【色彩】窗口。

　　2. 可以用鼠标指针在拾色器的调色板中,选取所需的颜色,被选中的颜色会出现在拾色器的右上方。

　　3. 当对字幕中的文字颜色的 RGB 值有具体的要求时,可以在拾色器右部的数字框中添入 RGB 数值,该 RGB 值对应的颜色会立刻出现在拾色器右上角的显示区中。

　　4.当所需的颜色为单纯的灰色时,可以使用调色板最左侧的灰度栏,该栏中所有色彩只有灰度上的区别。

　　5.有的时候,选取的颜色不在 NTSC 标准之中,则拾色器的右部会出现警告标志,并给出与选取颜色相接近的参考颜色,可以直

接单击参考颜色来选中它。

　　6.拾色器在选定颜色显示的上方,同时显示字幕文字当前的颜色,可详加比较找到合适的颜色,如果满意当前选中的颜色,即可单击【确定】按钮,选定颜色被应用于字幕文字,如图 8-4-4 所示。

图 8-4-4　选定颜色被应用于字幕文字

要点

　　字幕素材中的文字,往往根据需要设定为各种颜色。有的时候,文字的颜色要受到影片背景颜色的限制。

　　例如,当影片画面背景为明亮的雪景时,就应当尽量不用白色、淡黄色等明亮的颜色,以免字幕被淹没在背景色中;同样道理,当影片画面背景为暗淡的夜景时,就不适合使用黑色、深灰色等阴暗的颜色。因为这样一来,观众很可能就看不清楚字幕了。当然,在字幕清晰可辨的前提下,还可以根据个人喜好或剧本要求为字幕设置颜色。

　　例如,对于科技性较强的说明文字,可以将其中的关键字用相对更为醒目的颜色来加以突出;而对于娱乐性较强的影片,可以应用多彩的字幕,使画面更为活泼。

　　同时,也应当注意:当色彩过多或者搭配不当的时候,很容易使画面效果变得零乱琐碎,反而会影响观赏。

操作：为字幕设置渐变的颜色

在字幕编辑器的右部中间位置，可以找到用于设定颜色渐变与透明的颜色设置区，如图8-4-5所示。下面利用这个设置区，为字幕文字设置一个渐变。

图8-4-5 设定颜色渐变与透明的颜色设置区

1.单击【填充类型】旁的选项栏，选择一种渐变方式，例如，选择4色渐变，如图8-4-6所示。

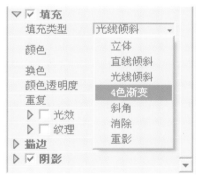

图8-4-6 选择一种渐变方式

2.分别设置所需的颜色，如图8-4-7所示。

图8-4-7 分别设置所需的颜色

3.设定好起始点与终结点的颜色以后，系统会自动生成两种颜色之间的渐变颜色，使文字的颜色从起始色自然过渡到终结色，如图8-4-8所示。

图8-4-8 自然过渡到终结色

4.在【颜色透明度】选项中，可以设置颜色的透明度。

5.除了字幕文字以外，颜色的渐变同样可以应用于字幕中的阴影与图形。关于字幕渐变的强度控制，在后文中将有专门的实例加以讲解。

知识点

为字幕文字设定颜色的时候，常常要用到渐变的颜色。渐变的颜色通常是由两种主色组成，首先要在调色板中选出这两种主色，然后系统会根据主色的颜色，以及指定的渐变方向，将字幕文字从一种主色渐渐地过渡到另一种主色。也就是说，位置介于两主色之间的点，其颜色也介于两主色之间。这一渐变过程中的所有过渡颜色，均由系统自动算出，要做的就是确定主色以及渐变方向。

色彩的渐变，大大丰富了字幕颜色的表现形式。可以在调色板中任意选取两种颜色来做渐变。从理论上来讲，这就可以有上百万亿种的配色方案，可以说已经远远超出了需要。而实际上，为了突出过渡的效果，通常采用两种对比较强、差异较为明显的颜色进行过渡。

例如，黑与白、蓝与黄、红与绿等等。通过使用色彩的渐变，不仅可以实现字幕文字的美化，还可以使字幕颜色有别于背景颜色,起到了突出字幕的作用。

操作:为字幕添加阴影

1.字幕阴影设定位于字幕编辑器的【对象风格】栏中,如图 8-4-9所示。

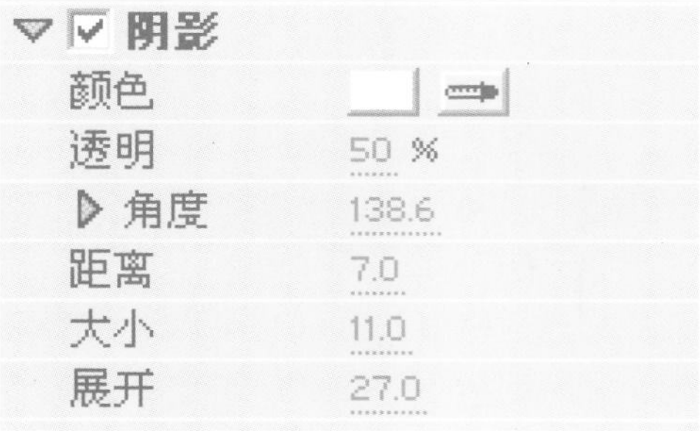

▽ ☑ **阴影**
颜色
透明　　50 %
▶角度　　138.6
距离　　7.0
大小　　11.0
展开　　27.0

图 8-4-9　字幕阴影设定

添加阴影的对象,可以是字幕中的文字或者图形,当前进行阴影设计的对象,会在字幕编辑区中以不同的图标显示出来。

2.可以先单击【颜色】旁的颜色块,打开一个拾色器,为阴影设定颜色。

阴影的颜色最好与对象本身的颜色有明显的区别。

3.在【阴影】栏下,可以设置【透明度】、【角度】、【距离】、【大小】和【展开】选项,这些选项都可以通过鼠标在参数上左右拖动来改变参数,也可以通过输入参数的方式改变参数。

特别应当注意,阴影与对象本身和背景素材的搭配是否和谐,如图 8-4-10 所示。

图 8-4-10　阴影与对象本身和背景素材的搭配是否和谐

**要点**

在视频中,可以为字幕中的文字添加阴影。加上阴影后的字幕文字产生了一种浮起的效果,使得画面的立体感、层次感增强。同时,阴影的添加也使得字幕文字的线条更为突出,有利于将字幕更加醒目地呈现于观众的眼前。在【字幕编辑器】中,为阴影的设计提供了专门的工具选项,可以根据需要为字幕生成各种颜色阴影,还可以通过编辑器设定阴影位置与角度。可以通过【展开】的选项参数,设置单层阴影、实心阴影、柔和阴影。

单层阴影本身是对原字幕文字的图形复制,并且通过位置改变与原字幕文字保持一个确定的位置关系,阴影线条清晰,便于操作;实心阴影则是将文字与阴影的对应点用直线相连,从而使得阴影与文字连成了一个整体,整个阴影部分富于质感,给人以坚实有力的感觉;柔和阴影是在单层阴影的基础上,对阴影部分进行了柔和处理,增添了朦胧感,适用于温馨柔和的场合。

操作:制作附加的字幕图形

1.可以通过【字幕编辑器】提供的各种工具来绘制字幕中所需的图形,这些工具位于【字幕编辑器】的工具栏上,如图 8-4-11 所示。

图 8-4-11　绘制字幕中所需的图形工具

2.利用【字幕编辑器】制图的过程并不复杂,并不比使用 Windows 中的画板更难,只需按下某种工具按钮,就可以进行相应的操作。

3.例如,可以利用画线工具在字幕编辑区中画出一条直线,只需在选定工具后,按住鼠标左键,进行拖动就可以了。如果在拖动的同时,按住【Shift】键,则直线的方向会被限定为水平、竖直或是斜向45°。

4.可以通过【字幕编辑器】中的【线宽】选项来设定编辑区中线的宽度, 即线的粗细程度。线的宽度可在单位 1~16 之间进行调整。

5.可以制作空心的图形,也可以制作实心的图形。

色彩的渐变、透明与阴影设计,同样可以应用于字幕中的图形部分。

知识点

在字幕窗口中,不仅可以编辑字幕文字,还可以设计出各种各样的字幕图形。所谓字幕图形,就是指在影片字幕中出现的线条和几何图形。可以通过添加这些图形,而使编辑出来的影片画面活泼富于动感。但是在使用的时候同样应当注意,不要因为图形过于花哨而破坏影片画面的观赏性。【字幕编辑器】为图形的编辑提供了一些工具按钮,可以通过综合使用这些按钮,生成自己所需的图形;可以使用调色板来设置字幕图形的颜色,并且还可以像设定字幕文字颜色渐变一样设定字幕图形的颜色渐变;字幕图形还可以用作字幕文字的底色,当背景画面的颜色比较琐碎、不易直接叠加字幕文字的时候,使用字幕图形做底色,往往会有很好的效果。在一个字幕素材中,可以既有图形部分,又有文字部分,字幕素材是以分层的方法来对素材中各部分的关系进行组织的。

操作:设定字幕图形的透明效果

本例中,将要对编辑窗中的图形部分进行透明操作,使覆盖在它下面的文字部分显露下来。

1.首先单击编辑窗,选中透明

操作的对象,如图 8-4-12 所示。

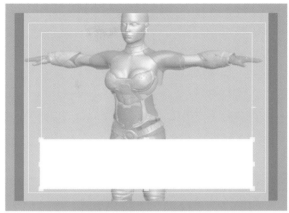

图 8-4-12　选中透明操作的对象

2.在【对象风格】栏下的【填充】中,进行对选定对象的整体透明操作, 改变选定对象的强弱程度。

3.可以通过调节【透明度】选项的参数来控制选定对象的强弱程度。调节过程中,请注意控制栏上方的百分比,百分比越低则透明度越高。当滑块移到最左方时,该对象变为不可见。

4.可以将对象的整体透明度设为50%,此时原来被覆盖的文字部分显露了出来。百分比数值越低,则透明程度就越高,图形中的文字部分就越明显,如图 8-4-13 所示。

图 8-4-13　被覆盖的文字部分地显露了出来

在进行某种对象的透明设定时需要注意:如果选定对象有阴影的话,同样需要对阴影部分进行透明操作,否则可能无法实现透明的目的。

知识点

可以通过【字幕编辑器】来改变字幕素材中各部分的透明程度。就像视频素材一样，一个被装入【时间线】窗的字幕素材的画面强度是可以调整的，如果把字幕素材的强度降低，那么当字幕素材与视频素材叠加放映的时候，视频素材的画面就可以从字幕文字或图形的下面透射出来，这时的字幕就是半透明的。通过使用半透明字幕，影片制作者就可以在影片打出字幕的时候，尽量给观众提供更多的影片信息。同时，对透明字幕的应用可以制作影片中的一些特别效果。

例如，可以利用半透明的字幕来制作"幽灵效果"。影片制作中一些特技的生成，往往也需要透明效果的辅助。然而，在【时间线】窗中，只能对整个字幕素材的强弱程度进行调整，整个字幕一透俱透；当要求素材中的各部分具有不同的强弱程度时，在不增加字幕素材的前提下，必须使用【字幕编辑器】对字幕素材中各层的强弱进行调整，设定不同的透明度。

操作：调整字幕文字与图形的关系

1. 可以同时在一个编辑区内编辑多个层。对于当前编辑区中的各层位置安排不满意的时候，可以用鼠标选中该层，并直接进行拖动操作，改变其位置。

2. 为了使图形的形状与文字部分有更好的配合，可以在选定图形部分后，修改其中的控制点，某一层的操作不会影响到编辑区中的其他层。

3. 可以通过在编辑区中的对象，单击鼠标右键来显示一个快捷菜单，该菜单上的选项主要用于设定选定对象的属性，以及与其他对象之间的关系。

4. 例如，可以选定编辑区中的图形层，然后在上面单击鼠标右键，选择菜单中的【排列】>【退到最后】命令将图形层置为最底层。此时，编辑区中的文字层，就会浮在图形层的上方。

5. 利用鼠标右键弹出的菜单所提供的选项，还可以实现许多其他有用的功能。例如，利用【绘图类型】>【椭圆】命令，将矩形图形变成了椭圆图形，如图 8-4-14 所示。

图 8-4-14　将矩形图形变成了椭圆图形

6. 还可以通过菜单中的【字幕】菜单命令来设定。

7. 将字幕素材装入【时间线】窗之后，还可以随时在该素材上双击鼠标左键来打开字幕编辑器修改。修改后，系统会在保存结果的同时，更新【时间线】窗中的素材，而无需重新引入。

知识点

上文曾经提到，【字幕编辑器】分层组织字幕素材中的各部分。在本例中，通过设定同一字幕素材中文字部分与图形部分的相互关系来具体了解一下分层的概念。使用过 Adobe Photoshop 的用户一定不会对"层"的概念感到陌生。字幕编辑器中的"层"是与之类似的，每当写好一段文字或画好了一幅图形，该字幕或图形即成为当前字幕素材之中的一个层，说得形象些，这些层就好像是放到【字幕编辑器】窗口中的一些写有文字或者画有图形的卡片,这些卡片可以分散摆放,互不干扰,也可以彼此叠加覆盖。

在默认的情况下,分层的前后顺序,就是各部分的制作顺序,即后制作的部分,在叠加的时候,会覆盖在先制作部分的上方,通常要根据需要来手工调整各部分之间的前后次序有的时候,需要对某一部分做半透明处理,以显露出被盖在其下方的字幕部分。

操作:制作滚动显示的字幕

1.首先选择【字幕编辑器】中的【字幕类型】的【上滚】或【下飞】类型。

2.选定滚动字幕后,在编辑区中用鼠标拖出一个矩形的区域,该矩形就是将来编辑好的滚动字幕的活动区域。

3.接下来在编辑区中,写入需要显示的所有文字内容,文字内容的篇幅不会受到矩形框的限制,可以根据需要写出超过一屏的文字内容。

4.可以通过其他工具,对滚动字幕进行设置字体、搭配颜色、应用渐变、添加阴影等操作。当需要字幕从空白开始的时候,则在编辑区内预先留出空间。

5.单击窗口中的 ▤【上滚/下飞选项】按钮或按快捷键【R】,开启【滚动/爬行选项】设置对话框,如图 8-4-15 所示。

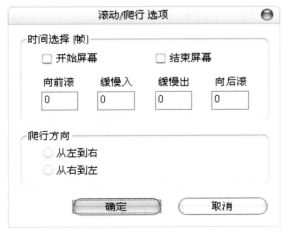

图 8-4-15 【滚动/爬行选项】设置对话框

6. 本例中,设定字幕向上滚动【Start Off Screen】,字幕在开始前(Preroll)与结束后(Postroll)没有持续过程,加速过程(Ease-In)与减速过程(Ease-Out)均为零帧,即直接启动,无加速过程。

【Start Off Screen】——是在影片结束时,开始滚动字幕。

【End Off Screen】——是在影片开始时间,就立即滚动字幕。

知识点

有的时候,需要在影片中显示大量的字幕信息。例如:在一部影视作品的结尾要显示演职员表及片头出现的大量介绍性文字等等,可以用多屏显示的方法来处理这种字幕信息。就是说,把这些字幕信息做成几个不同的字幕素材文件,分别装入【时间线】窗,并通过一系列的加工,使之在影片中连续播放,但是采用这种方法,在实际加工过程中并不方便,因为可能需要管理,并加工大量的字幕素材文件,还必须控制所有字幕素材的显示时间,使之一致。而使用滚动字幕来处理大量的字幕信息,上述问题就可以迎刃而解了。

滚动字幕整体上只需用一个字幕素材文件加以保存,便于管理;只需对一些关键参数进行设定,系统将自动完成大部分制作过程,方便了字幕的加工;同时使用滚动字幕显示文字信息,也可以使影片的画面更加富于动感。Premiere 低版本中,需联合使用【字幕编辑器】和【摇镜头滤镜】制作字幕的滚动效果。在 Premiere Pro 中,【字幕编辑器】直接提供了制作滚动字幕功能,使用起来更加得心应手。

操作:把做好的字幕加入影片

1.完成字幕的编辑工作后,关闭【字幕编辑器】窗口,会出现一个提示对话框,单击【是】按钮,保存当前制作的字幕,如图8-4-16所示。

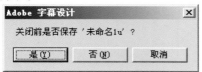

图 8-4-16　保存当前制作的字幕

2.该字幕文件自动放置在【项目】窗口中,作为素材文件。

3.字幕素材文件可作为一段静止画面素材,以系统默认的长度装入【时间线】窗,装入后可自行调整其持续时间。

4.完成字幕制作后,可以在【监视器】中,播放预览制作效果,如图8-4-17所示。可以随时通过【字幕编辑器】对字幕素材进行修改,只需修改后保存文件即可。

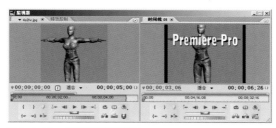

图8-4-17　播放预览制作效果

知识点

在【字幕编辑器】中编辑好字幕以后,还要把做好的字幕加入到影片中去。这一过程大致可分为以下几步:【保存字幕素材】→【装配字幕素材】→【处理字幕素材】与【背景素材】的叠加关系。

首先,需要将编辑好的字幕文字及图形以文件的形式保存在磁盘上。保存工作生成一个今后可以被

Premiere Pro 的【项目】窗反复引用的素材文件。如果是对以存在的字幕素材文件(*.prt 文件)进行编辑修改,则修改完成后,也要保存修改结果。

在这些操作中,对字幕素材的处理与对一般的静止画面处理没什么区别,字幕素材与背景素材的叠加合成是在【时间线】窗中完成的。

第五节　画面切换

一段影片通常要由几段素材组成。一段素材结束,另一端素材紧接着开始,所谓影片中的镜头切换,指的就是这一过程。可以直接把两段视频素材相邻放置于【时间线】窗中,这种切换叫做"硬切"。还可以利用 Premiere Pro 中提供的各种特效方式,来生成各种花式切换衔接两段素材。这些切换方式可以丰富影片的表现力,使画面更为活泼好看。在 Premiere Pro 中,一共提供了上百种不同的特效方式。本节将选取其中有代表性的 10 类切换方式进行详细讲解,大家可以举一反三地了解其他没有介绍到的各种特效方式的应用及设置方法。

操作:使用附加溶解切换连接素材

【附加溶解】特效的作用是将前后两段素材在特效区内的强度进行调整,使之自然衔接过渡,这一功能类似于编辑音频素材时所使用的交叉消隐工具。

1. 在调整好视频 1 轨道和视频 2 轨道上的素材位置后,将【附加溶解】特效从【特效】窗中拖动至【时间线】窗的特效轨道上,特效方式会根据两段素材的交叉时间,自动调整特效的持续时间,如图8-5-1所示。

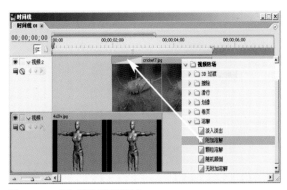

图 8-5-1　添加【附加溶解】特效

2.在【时间线】窗的特效轨道中,双击【附加溶解】特效,系统会弹出一个【特效控制】对话框,可以通过这一对话框来设定【附加溶解】特效的属性。

3.当特效方式被装入【时间线】窗后,为了方便编辑,可以在不影响显示速度的前提下,选中对话框左下角的【显示实源】选项,在【特效控制】窗中显示素材的实际画面,如图 8-5-2 所示。

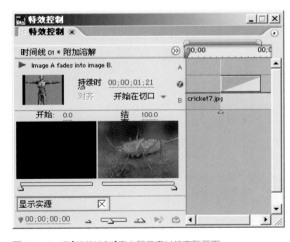

图 8-5-2　在【特效控制】窗中显示素材的实际画面

4.对话框中的两个控制窗,用于设定特效的开始与结束的状态。可以拖动控制窗下方的滑块来分别调整两个窗口中的画面,调整可参考控制窗上方所显示的百分比,如图 8-5-3 所示。

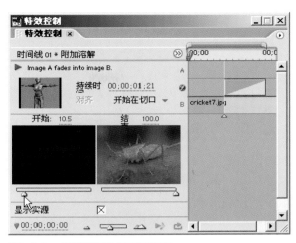

图 8-5-3　分别调整两个窗口中的画面

5.设置完成后,浏览最终效果,如图 8-5-4 所示。

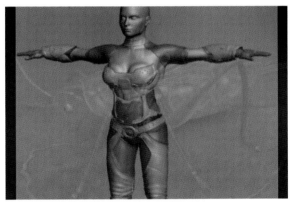

图 8-5-4　浏览最终效果

知识点

　　当某一种特征方式,被应用到【时间线】窗时,系统会根据 1、2 两条轨道上视频素材相交叉的时间长度,自动安排好该特效方式的持续时间。特效方式在【时间线】窗中所持续的时间段,又被称为"切换区"。

　　【附加溶解】是一种经常用到的切换方式,它在影片中产生的效果是:当影片进入特效区范围的时候,第一段素材即将结束,其强度逐渐减弱;与此同时,第二段素材的强度逐渐增强。于是第一段素材变得越来越透明,直至消失;而第二段素材的画面逐渐变得清晰。通过单击【特效】窗口或者【时间线】窗中的特效方式，可以打开对相应特效方式的属性进行对话框的设置。在【附加溶解】特效的属性设置对话框中，可以设定影片从一条轨道渐变切换到另一条轨道、渐变切换起始点与终结点的状态。通过使用【附加溶解】特效，系统根据简单设定就可以自动控制两段素材的强弱程度，完成一段自然的渐变过渡过程，而无需手工调节。

操作：使用【带形擦除】特效连接素材

　　【带形擦除】特效，可以将影片中一段素材的画面切割成指定的条数，通过把这些条"抽"出屏幕，将影片的画面切换至另一段素材。

　　1.在【时间线】窗的特效轨道中，双击带形滑动切换，系统会弹出一个【特效控制】对话框，可以通过这一对话框来设定【带形擦除】特效的属性。

　　2.除了可以调整特效的起始、结束状态以外，还可以拖动对话框中的【边框宽】滑块来改变条的宽度，通过单击【边框色】的颜色块来设置边框颜色，如图8-5-5所示。

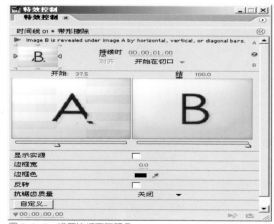
图8-5-5　设置边框宽与颜色

　　3.选择【反转】，可以使其带形擦除前后素材互换，如图8-5-6所示。

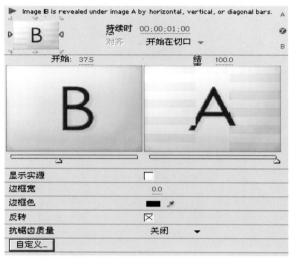
图8-5-6　使其带形擦除前后素材互换

　　4.通过单击【自定义】按钮，在弹出的对话框中，设置带形擦动的数目，如图8-5-7所示。

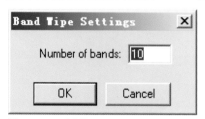
图8-5-7　设置带形擦动的数目

　　5.设置完成后，浏览最终效果，如图8-5-8所示。

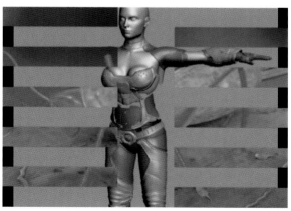
图8-5-8　浏览最终效果

【带形滑行】特效,在影片中产生的效果,是将第一段素材的画面划分为几条,然后将相邻的条向相反的方向抽出,与此同时,另一段素材以条状滑入画面。【带形擦除】特效是与之类似的一种切换方式。它同样是把第一段素材分为几条,然后分别向不同方向抽去,露出第二段素材;与【带形滑行】不同的是,【带形擦除】在抽动第一段素材的时候,第一段素材画面本身并不移动。

两种【带形】特效的属性设定内容基本上是一样的,除了可以分别设定切换方式在开始与结束时的状态以外,还可以设定画面被分割的条数、条的抽动方向以及条边框的粗细、颜色等选项。

需要注意的一点是,虽然两种【带形】特效方式都可以使画面的过渡更为生动流畅,但是过多的条数和较长的切换持续时间,有可能使影片画面产生支离破碎的感觉,因此应视具体情况,对分割条数和切换时间进行合理的设定。

操作:使用 3D 特效连接素材

通过应用【门形】特效,可以将前一段素材像门一样打开,露出藏在后面的第二段素材,或者将第二段素材像门一样关上,盖住第一段素材。在这里,"门"可以横着开,也可以竖着开,如图 8-5-9 所示。

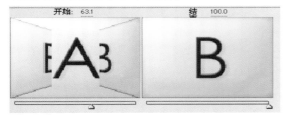

图 8-5-9　【门形】特效

1.【门形】特效属性设定对话框中的内容,与上例中介绍的【带形】特效的属性设定很类似,可以设定特效起止状态、素材边框的颜色与粗细等等。

通过【翻转】特效,可以把前一段素材分为几部分,分别以各自的画面中心为轴,进行 180° 翻转,转出与之背对背的第二段素材,如图 8-5-10 所示。

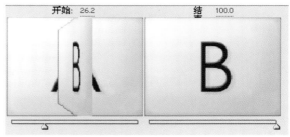

图 8-5-10　【翻转】特效

2.可以通过拖动控制窗下方的滑块来预览翻转设定的结果,观察背景颜色与两段素材画面的颜色是否匹配和谐。但如果希望得到完整的切换过程,最后别忘了把控制窗状态,调至开始为 0%、终止为 100%。

【翻转】特效方式,可以使素材的画面发生翻转变换,从而由一段素材过渡到另一段素材。在这里介绍两种以翻转方式切换素材的方法:门形切换和翻转切换。

在【门形】特效中,第一段素材从中间被分为两半,两部分画面各自以屏幕的一边为轴翻转开来,同时露出后面覆盖着的第二段素材;被分开的也可以是第二段素材。素材可以被纵向分开,也可以是被横向分开。纵向分开的时候,第一段素材就像两扇门被打开一样。

【翻转】特效则是把第一段素材的整个画面进行 180° 的翻转,或将整个画面分为几个部分,同时进行 180° 翻转,在将第一段素材翻到反面的同时,翻出第二段素材的画面,看起来两段素材的画面好像是背对背一样。在翻转切换的过程中,屏幕上会出现没有素材画面的部分,这一部分的颜色是可以由自己指定的。在制定这一部分颜色的时候,应当注意使该颜色与素材画面的颜色有较好的配合效果。

倾斜擦除特效

操作:使用【倾斜擦除】特效连接素材

可以利用【倾斜擦除】特效方式,构造一个较为复杂的素材间切换,这种特效是通过渐变底图的特性,逐步替换影片画面中的像素点来完成的,如图8-5-11所示。

图8-5-11　渐变底图的特性

1.将【倾斜擦除】特效移动到【时间线】窗的特效轨道上时,系统会首先弹出一个对话框,然后选定渐变底图,并且设定渐变的柔和度,如图8-5-12所示。

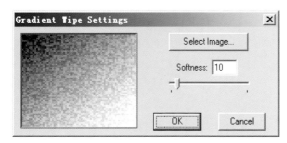

图8-5-12　弹出一个对话框

2.先来使用默认的渐变底图。单击【OK】确定后,该特效方式即被应用于影片,可以拖动其属性设定对话框控制窗下的滑块来预览切换的效果。

3.在属性设定对话框中单击【自定义】按钮,对于选定的渐变底图,需要对其设置合适的柔和度。柔和度越高,系统在进行渐变底图灰度梯度划分的时候,考察的像素就越细致。

4.在预览特效效果时,如果发现切换的效果不甚理想,可以单击【自定义】按钮。用作渐变底图的图形,需要具有鲜明的灰度层次,否则渐变的效果可能会不理想。可以通过对柔和度的设定,对效果略差的渐变底图,进行一些"后天"的弥补,调整渐变效果至最佳状态。

知识点

通过使用【倾斜擦除】特效方式,可以在影片素材之间,制作一个效果更为复杂的切换。在【倾斜擦除】特效中,素材的过渡需要依赖于一张渐变底图。这里所谓的"梯度",就是指渐变底图中色彩的灰度级别。在渐变开始时,系统将素材上的点与渐变底图上的点建立起在位置上一一对应的关系,之后按照渐变底图上各点的灰度级别,依次找到它们第一段素材上的对应点,并将之依次替换为第二段素材中的对应点。这一替换过程是在整个切换方式的持续时间内,按照渐变底图的灰度级层次对素材上的点进行依次的替换,因此渐变底图的样式就成为渐变效果的一个重要的决定成分。不仅可以使用系统默认的渐变底图,而且还可以通过文件浏览器将磁盘中的任意一幅图形画面作为渐变底图。不过在实际应用中,通常会对作为渐变底图的图形有一定的要求,例如,要有较鲜明的灰度级层次。可以使用 Photoshop 等图形处理工具来加工制作合适的渐变底图。

图形遮罩特效

操作:使用【图形遮罩】特效连接素材

通过使用【图形遮罩】特效,可以通过黑白两色的遮罩底图来对影片的画面进行划分,实现在一段影片画面中,同时显示两段素材的内容,如图8-5-13所示。

图8-5-13　【图形遮罩】特效

1.同【倾斜擦除】特效方式相类似,将【图形遮罩】特效移动到【时间线】窗的特效轨道上时,系统也会首先弹出一个对话框,让用户选择遮罩底图,如图8-5-14所示。

图8-5-14　选择遮罩底图

2.通过双击【时间线】窗特效轨道上的特效方式,可以打开属性设定对话框,并在其中为【图形遮罩】设置边框的粗细、颜色与清晰度。

3.可以自行编辑一幅遮罩底图,如果所需的图形不是很复杂,那么Premiere Pro自带的【字幕编辑器】完全可以胜任遮罩底图的编辑工作。

4.将编辑底图存为文件以后,在属性设置对话框中单击【自定义】按钮。

5.在建立自己的遮罩图形时,应对两段素

材的内容以及切换应用的目的,有一个清楚的了解,从而结合实际情况,设计突出影片表现重点的遮罩图形。

知识点

在【图形遮罩】特效中,需要引入一个用作遮罩底图的图形文件。可以使用系统默认的遮罩底图,但最好还是自己编辑一个。遮罩底图规定为黑白两色的二值图形,在切换中,遮罩底图里黑色的部分,显示某一段素材之中对应位置上的画面,而白色部分则显示另一素材中对应位置上的画面。

如果所选的底图不是黑白二值的,那么将此图应用于素材时,系统会自动将遮罩底图加工处理为黑白双色的图像。严格说来,【图形遮罩】特效方式,并不是一种严格意义上的切换方式,因为在【时间线】窗里,应用图形遮罩的时间段里,影片的画面并不是从前一段素材的画面渐渐地过渡到另一段素材的画面。在这段时间里,两段素材的画面,都有固定的一部分同时出现在了屏幕上。因此,这种切换方式更适合用于将两段同时放映着的素材进行叠加,制作"画中画"的效果。

【图形遮罩】特效与【倾斜擦除】特效,在应用中的表现有着很大的区别,而两种特效方式的应用过程,与属性设定方法却有很多类似之处。

划像特效

操作:使用【划像】特效连接素材

1.本例中,以【星形】特效方式为例,介绍【划像】特效族的应用方法。这一特效族里的每一种具体的切换方式,都对应于一种特定的几何图形,如图8-5-15所示。

图8-5-15　【星形】特效

2.首先将【星形】特效装入到【时间线】窗里的特效轨道上,用鼠标左键在该特效方式上双击,可以打开其属性设置对话框。

3.可以看到,在【星形】特效属性设置对话框里,开始控制窗的中心部位,有一个白色的小方块,这就是几何图形的中心控制点,如图8-5-16所示。

图8-5-16　　这就是几何图形的中心控制点

4.将鼠标指针移到该控制点上,可以按住鼠标左键拖动控制点,将之移动到控制窗中的任意位置,如图 8-5-17 所示。

图8-5-17　　移动到控制窗中的任意位置

5.移动到合适的位置后,松开鼠标左键。拖动控制窗下方的滑块预览切换效果。为了使两段素材画面的交界线更为明显,可以为几何图形加上边框。

6.可以将上述属性设定方法应用于其他

的【划像】特效,观察各种【划像】特效的切换效果,为影片选择一种合适的切换方式。

　　【划像】特效方式中的【十字划像】的中心控制点,由系统指定为屏幕的中心,因此不存在中心点设定的问题。

知识点

在 Premiere Pro 的特效方式中,通常会见到一系列形式相似、属性相似的特效方式。可以将之统称为一族特效方式。【划像】特效就是一个特效方式族。在这一特效族中,包括星形、方形、圆形、菱形、十字形等等特效方式。这些特效方式,虽然表现形式各有不同,但是其属性设定的方法都是一样的。掌握了其中的一种,其他的就都不在话下了。

本例中,主要通过【星形】特效来了解一下这一类特效方式的属性设定方法。与【缩放】方式类似,各种【划像】特效也是通过将某一种几何图形,进行放缩来实现素材画面之间的切换。不同的是,在【划像】特效中,同屏幕里只能出现一个几何图形,并且这个几何图形的中心点,可以指定在屏幕上的任意位置,这个中心点就是几何图形进行放缩的中心。几何图形的放大,从这一点开始,而几何图形缩小时,最后就缩于这一点的位置上。

放缩特效

操作:使用【放缩】特效连接素材

可以选取【特效】窗中的【放缩】特效下的任意一种,都可以进行视频素材的放缩切换。

1.在【放缩】特效方式属性设置对话框中,除了可以预览切换效果,更改素材边框,还可以设定放缩中心控制点的位置,将鼠标指针移到控制窗中部的小白方块上,按住鼠标左键,可以拖动该控制点到控制窗的任何位置上,松开鼠标左键,则控制点当前所在的位置就是素材放缩的出发点或终结点。

2.通过【盒子】放缩特效方式,可以将素材画面分为若干矩形进行放缩,在其属性设置对话框中,可以预览切换效果,并设置边框。

3. 单击属性设置对话框左下角的【自定义】来改变出现的矩形数,如图8-5-18所示。

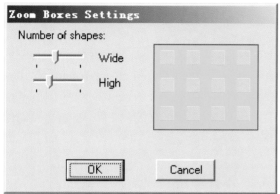

图8-5-18　改变出现的矩形数

4.【跟踪】特效方式,在对素材进行放缩的同时,显示了素材放缩的轨迹,可以单击属性设置对话框左下角的【自定义】进行设置。

【放缩】特效方式,不仅可以用来切换两段素材,还可以用来制作影片中的一些特殊效果。在后面的章节中,还将看到利用单体放缩切换制作"画中画"效果的特技实例。

知识点

【放缩】特效也是 Premiere Pro 之中一族重要的特效方式,可以根据需要加以选取。【放缩】切换的效果是在切换方式的持续时间内,将前一段素材从整个屏幕逐渐缩小成为一个点,或是将后一段素材,从一个点放大至整个屏幕。具体采取哪一种方式,可以通过预览加以选择。

【放缩】特效方式的中心控制点,可以由手工调节,其默认值为屏幕的中心位置。

【盒子放缩】特效方式,则是将素材的画面切分为若干矩形,然后对每一个矩形同时进行放缩变换,与【放缩】特效方式不同的是,在【盒子放缩】特效中,进行放缩的只有矩形框本身,而素材图像不会随各矩形框的放缩而放缩。

【跟踪放缩】特效方式与【盒子放缩】特效基本相同,但是在素材图像放缩的过程中,会留下一圈轨迹,因此动感略强于【放缩】特效方式。同【盒子放缩】特效方式一样,【跟踪放缩】特效方式的中心控制点也是可以由手工调节的。

偏好特效

操作:两种特效组合成新的特效

1.下面用两段现成的特效方式,组合出一种新的切换效果。首先在【时间线】窗中,把两段要应用切换的素材相邻装配在视频1轨道上。

2.然后在视频2轨道上,装配一段用作过渡底图的素材。

过渡底图可以是静止画面素材,也可以是活动的视频图像,也可以不加任何过渡素材,直接使用黑屏进行过渡。

3.调整好两段素材与过渡素材之间的位置关系后,在【时间线】窗的特效轨道上,装配两种特效方式,并且设置其属性,如图8-5-19所示。

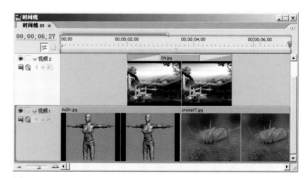

图8-5-19　调整好两段素材与过渡素材之间的位置关系

此处要注意正确设定特效方式的过渡方向。

4.一切都安排妥当后,还要注意调节【时间线】窗的工作区,使之刚好覆盖住所有特效方式的持续时间,这样可以在最短的时间里完成切换的合成工作,以便预览切换结果。

限于篇幅,在此无法一一列举 Premiere Pro 中提供的每种特效方式,然而所有特效方式中的各种属性设定方法在本节中都有介绍,可以在使用过程中加以参考。

知识点

除了使用系统预设的各种特效方式以外,还可以自力更生,自己制作切换方式。这主要有两种途径,一种办法是使用 Premiere Pro 提供的特效方式,生成工具 Transition Factory 来建立自定义切换。通过这种方法,可以生成效果不亚于系统预设切换方式的切换方式,并可保存结果留待以后使用。但是,使用这种方法要求对于特效表达式的结构有清楚的了解,而初学者要想做到这一点,还要下很多的功夫,而且也没有太大的必要。因此,本例中就没有作讲解了。第二种方法是通过联合使用两种特效方式来构造出新的切换效果,在这种方法中,需要把两段素材安排在同一轨道中,并且在另一轨道上安排一段过渡素材,也可不安排过渡素材,用黑屏过渡,然后先用一种切换方式,将影片画面从第一段素材切换至过渡素材,再紧接着将画面从过渡素材切换至第二段素材。这种"组合式"的特效宜学宜用,有时可以为影片带来崭新的切换效果。

第六节　特效滤镜

在影片制作的过程中,由于受到种种条件的限制,往往不能得到完全符合影片要求的原始素材,这时可以通过 Premiere Pro 提供的各种【特效滤镜】来对原始素材进行加工,使之满足要求。除此之外,【特效滤镜】还可以用来制造一些有趣的特技效果,例如为素材增加风纹、水纹效果,反向放映素材,使画面扭曲变形等等。Premiere Pro 中提供很多视频特效滤镜。在本节中将对其中较为常用的进行讲解。Premiere Pro 还提供了大量地应用于音频素材的特效滤镜,这些音频特效滤镜,将在下一节中进行详细地讲解。

添加滤镜
操作:如何为素材添加特效滤镜

1.如果想要为【时间线】窗中的某一段素材,添加特效滤镜,可以在选中该素材以后,打开【特效】窗口中的【视频特效】栏。

2.从中选择一种【视频特效】,将其放置到素材中。

3.然后,开启【时间线】的【显示关键帧】模式,在素材的上部会出现标题,单击标题旁的小三角,从中选择添加的特效滤镜,如图 8-6-1 所示。

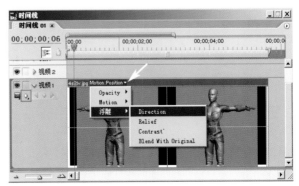

图 8-6-1　　从中选择添加的特效滤镜

4.在【特效控制】窗,也会出现相应的属性设置,如图 8-6-2 所示。

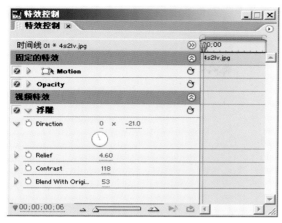

图 8-6-2　也会出现相应的属性设置

5. 可以为同一段素材同时应用多个特效滤镜。同一种特效滤镜，也可以在同一段素材中同时应用多次。

6. 当需要设定某一种特效滤镜的属性的时候，可以在【特效控制】窗中设置。

7. 有的特效滤镜在使用中需要进行更为细致的属性设置，单击【特效控制】窗中的相应小三角，展开属性，以便做进一步的设置。

8. 当素材中不再需要某一种特效滤镜的时候，只需在【特效控制】窗中选择该特效滤镜，然后按【Delete】键，即可将之删除。

 知识点

现在，让我们走进特效滤镜的世界。使用过 Photoshop 等图像处理工具的人，大概不会对滤镜感到陌生。通过各种特效滤镜，可以对原始素材进行加工，为原始素材添加各种各样的特技，以实现预先期望的视觉效果。通过使用 Premiere Pro 中的各种视频特效滤镜，可以使原始视频素材的图像发生平滑、扭变、模糊、锐化、变色等多种变化。这些变化可以使素材更合乎要求，同时也增强了影片的表现力。

Premiere　Pro 为滤镜的应用提供了一个友善的操作界面。可以方便地从数十种滤镜中找到所需要

的特效滤镜，并将之应用于素材之上。在 Premiere　Pro 中添加滤镜的操作过程，并不算复杂，要使用好各种滤镜，最需要关心的是搞清楚应用滤镜的目的，是为了改善图像质量？还是为了制造特殊效果？选用的滤镜，能否正确地表达所需的效果？要想回答好这些问题，一方面要对素材有一定的驾驭能力，另一方面要熟悉各种滤镜的特性。

在认识了视频特效的基本使用方法之后，接下来对视频滤镜中的各种特效进行简单讲解，Premiere Pro 中的【视频特效】被分类保存在 15 个特效文件中，如图 8-6-3 所示。

图 8-6-3　【视频特效】

1.调整：通过调整画面亮度、对比度和色相等，增强某些特殊效果。

2.风格化：模拟各种画风，使其图像产生丰富的视觉效果。

3.光效：通过对图像进行渲染来达到某种特效效果。

4. 键控：采用叠加技巧获得特殊的抠像效果。

5.颗粒：用来对图像制作各种点的效果。

6.模糊锐化：对画面进行模糊和锐化处理。

7　扭曲：通过多种形式，对画面进行扭曲

变形处理。

8.色彩校正:对画面色彩进行精确调整。

9.时期:用来控制素材的时间特性,并以素材的时间作为基准。

10.视频:调整视频以适应不同的视频设备。

11. 通道:利用通道对画面色彩进行调节。

12.透视:对画面进行透视效果的处理。

13.图像控制:修正画面效果,弥补前期制作的图像缺陷。

14.噪波:将画面中每一个像素都用它四周像素的平均值代替。

15.转场:用来使图像的形状产生二维和三维的几何变化。

知识点

【键控】类视频特效,就是将Premiere 中,视频选项下的透明设置整合到 Premiere Pro 的视频滤镜中。【键控】是一种非常重要的视频图像处理方式。使用【键控】时,必须在【时间线】窗口中不同的视频轨道上,有相互重叠的两个或两个以上的素材,同时,被叠加的素材还必须在其他素材上,它共包括 14 种抠像方式;【时期】类主要用来控制素材的时间特性,并以素材的时间为基准,在默认状态下,如果素材已加入了其他特效,那么应用了【时期】类特效后,以前的所有特效都将被取消,它只有 2 种效果。

第七节　音频特效滤镜

在影片设计过程中,将不可避免地接触到大量的音频素材处理工作。尽管 Premiere Pro 并不是专门用来进行音频素材处理的工

具,但是在它里面还是提供了大量的音频特效滤镜。通过这些滤镜,可以非常方便地制作一些使用的音频特技效果,不必借助于专门的音频处理工具,从而大大提高了工作的效率。在 Premiere Pro 中,提供很多种音频特效滤镜,本节将讲解其中有代表性的几种。这几种滤镜在音频制作中,使用的机会较多,掌握了它们的特性设置方法后,再去学习其他各种音频滤镜的特性设置方法,也就不是一件难事了。

反向放音

操作:使用【倒置】特效逆转音频方向

1.首先在【时间线】窗中,单击一段音频素材,将之选中,将【倒置】特效滤镜添加到选定的音频素材中。

2.在添加特效滤镜的【特效控制】窗口的关键帧设置区中,设定该特技在素材中开始发生作用的位置和停止特技作用的位置, 如图 8-7-1 所示。

图 8-7-1　设定该特技在素材中开始发生作用的位置和停止特技作用的位置

3.在【时间线】窗口中,所选定的特效滤镜,就被应用于素材中,被应用过特效滤镜的音频素材上方,会出现一条绿线,如图 8-7-2 所示。

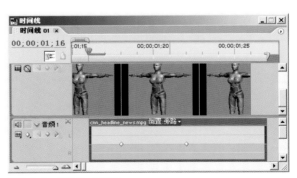
图 8-7-2　会出现一条绿线

可以随时在需要的时候,重新对此素材进行滤镜的添加、设置与删除。

4.【倒置】特效滤镜产生的作用,是将音频素材进行翻转播放。合成后可以在【监视器】窗中预演音频滤镜产生的特技效果。

5.当不再需要该滤镜作用于影片的时候,可以选中该素材,并单击【特效控制】窗口中的【倒置】特效滤镜下的图标,将出现【警告】对话框,单击【确定】按钮,即可删除设置的关键帧和应用的特效。

6.如果只需删除某个关键帧,可以选择需删除的关键帧,然后按【Delete】键,即可删除选择的关键帧。

7. 当需要对素材中的几部分分别进行反向播放的时候,可以为该素材同时应用多个【倒置】特效滤镜,并在关键帧设置区中,为每一个特效滤镜分别设置不同的工作范围,如图8-7-3所示。

图8-7-3　分别设置不同的工作范围

知识点

在 Premiere Pro 中,音频特效滤镜与视频特效滤镜使用相同的添加滤镜特技窗口,为两种素材片断添加滤镜的方法也基本相同,不同之处在于添加特效滤镜栏中出现的系统特效滤镜列表不同,系统可以根据选定的素材,自动打开相应类型的特效滤镜列表。

在【时间线】窗中选定一段音频素材,并打开为其添加特效滤镜的【特效控制】窗时,系统特效滤镜列表中就只有可应用于音频素材的特效滤镜,没有可应用于视频素材的特效滤镜。

通过应用【倒置】特效滤镜,可以将一段音频素材的全部或者部分进行反向地播放,就是说将把原有的声音波形,在时间上进行翻转,并播放出来,从而获得某种特殊的音响效果。

操作:使用【低音】与【高音】特效滤镜调整高低音效

1.在【特效】面板中,选取【低音】与【高音】特效滤镜,将之拖放到音频轨道中。该滤镜的【特效控制】设置面板,如图8-7-4所示。

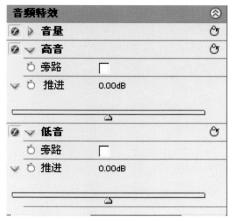

图8-7-4　【低音】与【高音】特效滤镜

2.通过【低音】栏中的三角形滑块,可以对音频素材中的低音部分的强度进行设定。滑快的位置,越靠右侧低音强度就越大。

3.【高音】栏中滑块的调节方法与【低音】是类似的,它的作用是调节音频素材中高音部分的强度。

4.可以在【监视器】中播放,进行特技效果的预演。系统将截取声音素材的一小部分应用特技并反复播放,预演的效果可以随时对各项设定的变动进行动态调整。

5. 对设置的效果不满意的时候,可以单击【复位】按钮,将【高音】和【低音】两项的控制值,同时置为 0,然后重新开始进行设置。

6.可以在关键帧设置区中设定多个控制点,并对它们分别设以不同的特性值,系统将根据各点的特性,自动生成音频素材中音质的渐变过程。

7.在【监视器】中播放,无需经过合成,就可以对声音特技效果进行预演,并动态调节设置效果。在实际操作中,应当充分利用这一有效的工具。

知识点

音频素材中的声音效果,可以分为两部分:高音部分和低音部分。利用【低音】和【高音】特效滤镜,可以对音频素材中的高音部分和低音部分的强度分别进行设定。

当素材中低音部分的强度被提高时,高音部分被抑制。在音频素材之中,占主导因素的部分就是低音部分,高音部分并不明显。而此时音频素材播放时的效果,就会变得低沉、浑厚、坚实,富有震撼力。相反,当素材中高音部分的强度被提高时,低音部分被抑制,音频素材所产生的效果就会变得高亢、响亮、悦耳、令人振奋。当两部分以同样幅度增大或减小的时候,整个素材的音量会相应的放大或减小。

可以通过使用这种滤镜,将高音部分与低音部分的强度比例调整到合适的程度,从而改善原有音频素材的音质,使之符合影片的要求。

操作:使用【混响】特效滤镜生成合声效果

1.在【特效】面板中,选取【混响】特效滤镜,加入到音频素材轨道中。首先要在【混响】特效滤镜的设置对话框中,设置各项参数。

2.【混响】特效滤镜有【自定义设置】和【个别参数】两种设置方式,不过最终设置的作用都是一样的,如图 8-7-5 所示。

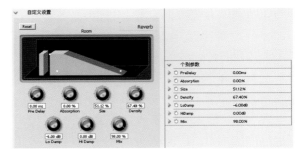

图 8-7-5 【自定义设置】和【个别参数】两种设置方式

3.【自定义设置】是通过图示操作来设置各项参数值。可以在数值栏中输入参数来设置,也可以直接在图示旋转扭上通过操作来设置参数。

4.【个别参数】是通过调节各个选项的滑动块来设置各项的参数值。

知识点

这里所说的"合声"概念,与音乐理论中的"和声"并不相同。这里的"合声"是指把相同或者类似的多个声音混在一起进行播放。例如,合唱队合唱的声音就是人声的合声,多个同种类型的乐器进行合奏时的声音就是这种乐器的合声。可以利用 Premiere Pro 中的【混响】特效滤镜来生成类似合声的音频特技效果。将【混响】特效滤镜应用于某一段音频素材后,系统会根据设定的参数,将音频素材中记录的声音波形进行复制,经过强度的变化和时间上的延迟后,叠加于原音频素材,从而模拟出多个音源,同时发出声音的效果。在生成的声音效果中,除去原声以外的部分,均由系统自动生成,新生成的音效部分被称为"重生音效"。在特效设定对话框中,可以设定的参数有:混响效果、深度效果、重生音效的强度和重生音效的延时速率等等。通过强度的调整,可以改变合声中新添部分的强弱程度;而延时速率的作用,则是控制新添部分与原有部分在时间上的差异。

操作：使用【均衡】特效进行音频均衡处理

1.在 Premiere 中，可以通过使用【均衡】特效滤镜来对音频素材中各频率段的声波，进行强化弱化处理。其特效设置对话框，如图 8-7-6 所示。

图 8-7-6 【均衡】特效滤镜

2.拖动【自定义设置】右侧的滑块可以改变整体频率的音频分量的强度。向上为增强，向下为减弱。强化的数值显示在数字框中，图示也会相应改变。

3.可对各音频轨道分别进行强度的调整，如图 8-7-7 所示。

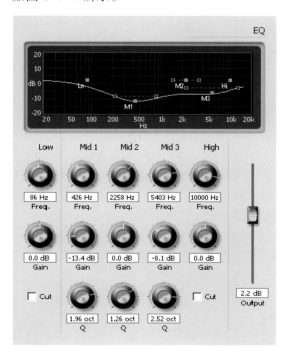

图 8-7-7 分别进行强度的调整

4.可以使用 🔄【复位】按钮，选择【default】选项将各项参数恢复至 0，如图 8-7-8 所示。

图 8-7-8 将各项参数恢复至 0

注意

选择默认值后，所有频率段上的滑块都将回到中间位置，此前所做的一切设定被撤销。还可以通过 🔄【复位】按钮，选择一些预设效果。

5.通过【监视器】，可以进行声音效果的预演。系统会在各控制点效果之间，自动生成平滑的过渡，丰富素材的音响效果。

一般来说，音频均衡的设定方案没有一定之规。在使用中需要根据具体的音频素材内容和自己对素材的感受进行操作，将素材的声音效果调整到满意即可。

知识点

通过前面的讲解，已经了解了使用【低音】和【高音】特效滤镜对音频素材中的高音部分和低音部分分别进行强度处理的方法。

在本例中，对声音从另一个角度进行更为细致的分层控制。我们知道，在一段音频素材中，包含着各种频率的声音波形，通过 Premiere Pro 提供的【均衡】特效滤镜，可以对音频素材中接近几个特定频率的声音波形部分，分别进行强度上的调整。一般来说，声音中的低频部分，决定了低音部分的表现状况，因此，将低频部分声音波形的强度加以提升的时候,音频素材的声音效果就会变得低沉浑厚,给人以坚实有力的感觉;而高频部分则对应着高音部分,提高其强度可以使素材音质明亮悦耳。

一般来说,对各频率附近声音波形强度的调整,并无一定之规,在很大程度上取决于使用者的个人喜好和对声音效果的感觉。

操作:使用【平衡】特效控制左右声道平衡

1.【平衡】特效滤镜,用于控制素材的声音在左右声道的分配情况。首先添加特效滤镜应用于素材,然后在其自动弹出的【特效控制】对话框中,设定各项参数。

2.通过拖动【平衡】特效滤镜设置对话框中的三角形滑块,可以改变音频素材的声道均衡状况。向左拖动滑块,则声音主要由左声道播放;向右拖动滑块,则声音主要由右声道播放。

3.滑块所在的位置所产生的参数,显示在滑块轨道上方。

知识点

Premiere Pro 提供的音频特效滤镜,有几种也可以完成类似的功能。【填充右声道】和【填充左声道】是在老版本的 Premiere 中,就已经出现过的音频特效滤镜。它们可以对双声道的音频素材进行处理,将其中所有的声音信息只通过一个声道发送出来。由于它们的使用方法比较容易掌握,本例不作介绍。【平衡】特效滤镜可以看做是前两者的发展,它不仅可以控制声音由哪个声道传出,还可以指定两个声道的声音强度的相互关系,使用起来比【填充右声道】和【填充左声道】要方便一些。【通道音量】特效滤镜的功能,则是自动改变声音在两个声道

之间的分配情况。应用过该特效的音频素材,在播放的时候,声音在左右声道之间来回交替漂移,可以在进行特效设定时,指定改变的速率和音调的深度。

第八节　合成与输出

制作一部完整的影片,通常需要很多步骤的操作。为了保证每一步的效果都能令人满意,需要经常对影片的中间效果进行预演,这样做的好处是不需要将【时间线】窗中所安排的各种素材制作成最终的影片成品,即可观看到它的等效结果,并根据看到的结果及时对有欠缺的地方进行修改。如果影片中被应用了特殊效果,则必须在预演之前对其进行合成。为了让观众们能够看到影片制作的成品,还必须在影片制作完成后将其输出。本节着重介绍将影片输出为 Video for Windows(*.avi)类型的磁盘文件的过程。在影片输出时,可以通过序列窗,将几段短篇幅的影片连接起来一起输出。

操作:渲染并预演影片

1.对影片素材进行过一些加工操作后,在进行合成之前,最好先进行一番整理工作,以提高合成效率。一个比较直接的办法是,将所有不需要进行合成的轨道和素材统统设为禁用。

2.然后需要对【时间线】窗中的工作区进行设定。如果只需对影片的一部分进行预览的时候,可以让工作区只包括要预览的时间部分内的素材,如图 8-8-1 所示。

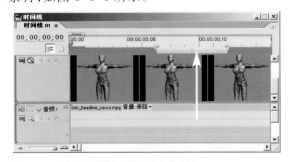

图 8-8-1　只包括要预览的时间部分内的素材

3.在【时间线】菜单中,选择【渲染工作区】菜单命令,对工作区内的影片部分进行合成,未渲染合成的部分,以红色线条标志,而经过渲染后的部分,以绿色线条标志, 如图 8-8-2 所示。

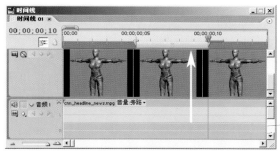

图 8-8-2 对工作区内的影片部分进行合成

影片进行合成时,屏幕上出现一个进度指示器,进度指示器右下角给出了系统估算出的剩余合成时间。

4.通过选择【时间线】菜单中的选择【渲染工作区】菜单命令,可以对选定部分的影片素材进行合成,合成工作完成后,被合成的影片部分将自动开始进行预演。此时【Enter】键的作用变为播放影片,直到停止在指定的工作区内。

在选定渲染工作区后,可以直接按【Enter】键,执行【渲染工作区】命令。

知识点

在 Premiere Pro 中,【监视器】窗最大的一个功能,就是进行各种视频素材画面的预演工作。通过对原始素材的预演,可以准确地了解到某一段素材中的内容,从而更好地对影片进行剪辑,安排它在整部影片中的位置。当完成某一个剪切、移动、复制等简单的加工步骤之后,也需要对加工的结果进行预览,看一看加工的效果是否理想。在上述情况下,影片的预演比较简单,只需直接在【监视器】窗中进行播放就可以看到影片的效果了。

然而,当对影片中的素材进行了进一步的加工操作,例如应用切换方式、添加特效滤镜、设定运动及透明效果之后,对影片加工效果的预演,就不能直接进行了,这是因为当前计算机无法在短时间内对影片素材所包含的大量音频、视频信息进行完全处理。此时,就应当先对整部影片或这影片中的某一片段进行渲染操作,给计算机一段时间让它将设定好的各种放映效果进行编辑,合成为一个整体。

操作:输出并保存 avi 文件

1. 当需要将编辑好的影片输出为磁盘上的影片文件时,首先同样需要做好准备工作,包括清除或禁用不需要的素材信息、设定工作区等等。

2.在【文件】菜单中,选取【输出】>【影片】菜单命令,将【时间线】窗中的素材合成为完整的影片文件,这项操作的快捷键为【Ctrl+M】。

3.选择【影片】菜单命令后,屏幕上出现输出影片对话框,可以在其中设定要保存的文件名,对话框下方给出了输出影片的默认属性, 还可通过单击【设置】按钮进行最后输出设置。

4.单击【设置】设定好各项参数后,单击【确定】按钮,再单击【保存】按钮。屏幕上出现影片输出的进度显示器。当影片输出完成后,系统将自动用一个素材窗打开输出到磁盘上的影片文件,并进行播放。

5.在 Premiere Pro 中,可以使用多种文件格式完成影片的输出工作。可以在输出影片的属性设定对话框中,加以选择。对于不同的文件格式,其具体的属性设定内容也略有不同。

6.当影片以某种文件格式保存于磁盘之后,它就是一个包含所有影片信息的单独的影片文件了,可以使用任何一种可播放该种影片格式的软件,将此文件打开并进行播放,也可以将其作为素材引入到 Premiere Pro 中。

第二部分 技能与创作教学

知识点

当完成对影片的各项加工操作之后,就需要将影片进行音频和视频上的压缩,并将之储存为用户磁盘上的可播放文件。本例中,以输出.avi格式的影片文件为例,介绍影片的输出方法。

Premiere Pro 允许将影片输出为如下格式的文件:

Microsoft AVI 即 Micro soft video forwindows 的标准影片文件格式,扩展名为.avi。

TIFF Sequence 这是一组图形文件序列,每个文件显示影片中的一帧画面,文件扩展名为.tif。

Targa Sequence 这是一系列扩展名为.tga 的图形文件序列。

QuickTime 即 QuickTimefor windows 的标准影片文件格式,扩展名为.mov。

GIF Sequen−c 扩展名.gif 的图形文件序列。

Animated GIF 扩展名.gif 的动画影片文件格式。

Filmstrip 能被 Photoshop 打开和编辑的胶片带文件,包含影片中所有帧的画面。

Flc/Fli Autodesk Animator 的动画文件,扩展名为.flc .fli。

Windows Bitmap Sequence 扩展名为.bmp 的图形文件序列。

操作：输出影片中的帧、音频

1.还可以通过【文件】菜单中的【输出】>【帧】菜单命令,对影片中的某一帧画面进行保存,快捷键为【Ctrl+Shift+M】;通过【音频】菜单命令,对影片中的音频信息进行保存,快捷键为【Ctrl+Alt+M】。

2.可以在保存文件对话框中,设定文件名,并且单击【设置】进行设置。

保存工作完成后,系统将自动在素材窗中打开被保存的文件以供查看。这些文件可以作为素材被引入剧本窗,也可以被其他与之相关联的应用程序打开,从而被应用于多种场合。

通过使用 Premiere Pro 进行影视编辑,可以在编辑的过程中,直接看到各种特殊效果作用于影片的结果,并且自动化程度较高,因此可以为传统的影视制作系统提供非常有用的帮助。

知识点

Premiere Pro 除了可以把影片的最终结果以多种文件格式输出,并加以保存以外,还可以把影片中的某一帧画面,或者影片中的音频部分单独保存下来。

在 Premiere Pro 中,为单独输出帧画面和单独输出音频提供了专门的菜单命令,使操作更为简捷。可以通过在输出的时候,调整对话框中的选项来具体设定文件的输出格式和输出质量等参数。作为文件输出的静止画面和音频信息,还可以通过素材窗在 Premiere Pro 中打开,或把它们引入至【项目】窗中,作为新影片的素材。可以用 Premiere Pro 来输出一个编辑判定列表,该表中包括了用户所编辑合成的影视作品中的所有素材、切换方式以及其他的特殊效果的排列顺序和编辑判定。借助这一编辑判定列表,可以使用传统的影视制作设备,按照【时间线】窗中的素材安排、编辑信息,对原始录像带进行线性编辑,要使用编辑判定列表,必须先将原始录像带的视频信号数字化捕捉到计算机中,使用 Premiere Pro 进行完编辑之后,再将编辑判定列表输出给传统的影视制作设备进行加工制作。还有,可以将制作的影片输出到磁带,并可以制作 DVD 输出。

第九节　常用制作技巧

通过上文的讲解，已经可以利用 Premiere Pro 中提供的特效方式和特效滤镜制作多种特技效果了。在 Premiere Pro 中，还可以通过其他一些方法来生成画面移动、像素叠加等特技效果，这些方法包括画面的运动设置、画面的透明设置、虚拟素材的使用等等。本节中将对这些方法进行讲解。如果想要在影片中制作出精巧迷人的特技效果，必须将各种方法融会贯通、相互配合使用。

操作：利用画面运动选项制作画面平移

1.在【时间线】窗中，单击需要加工的视频素材，单击【显示关键帧】选项，在素材菜单栏中选择【Motion】>【Position】命令，如图 8-9-1 所示。

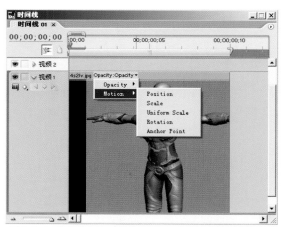

图 8-9-1　选择【Position】命令

2.或在【特效控制】窗中的【固定特效】栏下，设置【Position】选项的参数，可以通过设置关键帧的方式，对视频素材的平移运动状况进行设定，如图 8-9-2 所示。

图 8-9-2　对视频素材的平移运动状况进行设定

3.也可以在【时间线】窗口中设置关键帧，

如图 8-9-3 所示。

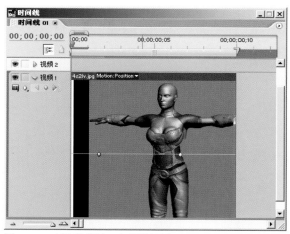

图 8-9-3　在【时间线】窗口中设置关键帧

4. 首先需要为画面的运动指定起始位置和结束位置，为其创建一个关键帧，将时间线移动到所需的时间，再创建一个关键帧，画面平移运动的轨迹就成型了。

5.通过对话框中部的时间设定栏，可以改变各关键帧在素材播放时间线上所占的位置，从而设定各段素材平移运动的速率。在设置参数时，可以通过【监视器】预览到画面的移动效果。

6.可以在关键帧上，右键鼠标来选择画面运动的加速度状况，可以将画面的运动设定为线性的匀速运动、加速运动和减速运动。根据不同的设置，关键帧标志会作相应的改变，如图 8-9-4 所示。

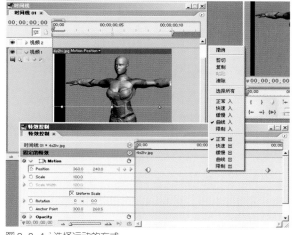

图 8-9-4　选择运动的方式

Premiere Pro 提供了一个非常有用的特技制作工具【Motion】。在这个对话框中，可以对选定的视频素材进行多种特技加工。在影片制作的过程中，视频素材画面的平移运动、旋转运动、画面尺寸的缩小与放大，以及画面的变形等特技效果，都可以通过【Motion】设置对话框中的加工来实现。而且，还可以将上述各种特技效果组合起来，构造活泼新颖的画面运动方式。

本例讲解了在【Motion】设置对话框中，如何制作画面平移的效果。在【Motion】设置对话框中，可以为某一段素材画面描述一条平移运动的轨迹，并根据需要在这一轨迹上设置足够多的控制点，通过调整各控制点的位置来确定平移运动轨迹的形状。还可以通过其他许多选项，对素材平移运动中的细节问题进行设定。例如，素材在某一控制点，做多长时间的停留，素材在某一段控制线上的移动速度等等。

操作：利用【Motion】选项制作画面旋转

1.首先需考虑好视频素材画面将在屏幕中做出怎样的旋转翻滚变换，然后找到需要改变状态的关键帧，单击该关键帧后，即可对其状态进行修改。

2.通过【特征】窗的【Motion】栏下的【Rotation】设定值，可以改变画面在当前关键帧的"绝对角度"；可以单击【Rotation】栏下的旋转图示，快速改变角度；也可用滑轨中部的履带条细致调整；或直接在数字框中输入数值，如图 8-9-5 所示。

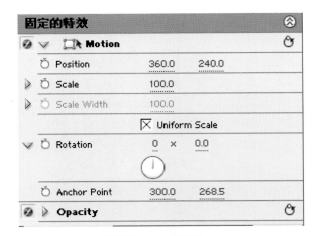
图 8-9-5　【Motion】栏下的【Rotation】设定值

3.一个关键帧的状态设置好之后，再对下一个关键帧的旋转状态进行设置。素材画面的旋转运动，以各关键帧为分界线。

通常在不同的关键帧线段上，画面的转动状态（方向、速度）不会相同。

4.通过【监视器】观察设置效果。

5.可以在【时间线】上设置旋转曲线方式，如图 8-9-6 所示。

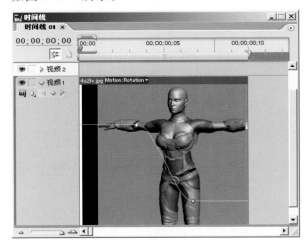
图 8-9-6　设置旋转曲线方式

知识点

可以在素材平移运动的基础上继续进行加工，使之具有旋转的效果。这里所说的旋转，是指以垂直于屏幕的方向为轴，围绕视频素材画面的中心进行旋转。对于平移中的视频素材画面，其旋转中心也是在不断的运动中,从而可以构造出画面翻滚着进入、移出屏幕范围的效果。

对素材画面旋转效果的设置,同样要借助于设置各控制点的状态来实现。可以单击已存在的关键帧改变其设置,也可以在运动轨迹上生成新的控制点。在【Rotation】栏中,可以为每一个关键帧设置一个绝对的角度值。素材画面运动的时候,会根据各关键帧上的绝对角度值,计算出各段控制线上需要旋转的相对角度值。然后再根据关键帧的长短,设置旋转的速度。可以在某一关键帧线段上设置新的关键帧,此时该关键帧的状态为画面按原有运动设置运行到此初始的状态。可以对其状态加以改变,也可以通过【复位】按钮,对画面状态进行重置。

操作:利用【Motion】选项制作画面缩放

1.首先单击轨道区中的某一个关键帧,将其选中,然后才能在【Motion】栏中,对该关键帧的素材画面进行缩放设置。

2.可以通过【Zoom】栏,对选择关键帧进行缩放处理。滑轨数字 100%时,画面为原始大小,小于 100%时,画面被缩小,0%时,画面消失,如图 8-9-7 所示。

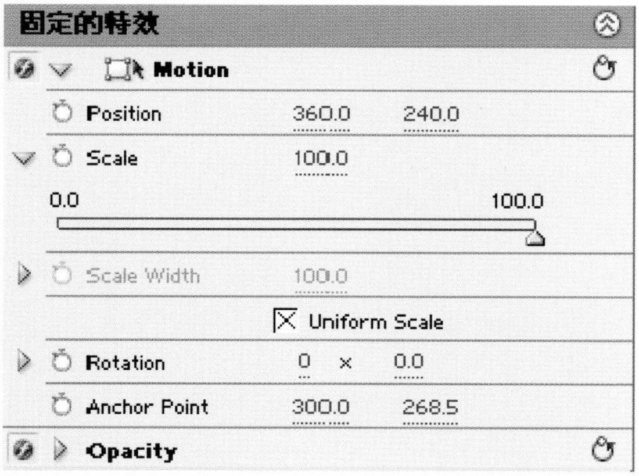

图 8-9-7 滑轨数字

3.当素材被放大或缩小后,素材画面与屏幕之间的关系有可能会发生变化,从而使产生的特技效果不尽如人意,应在轨迹区中及时进行调整。

4. 可以对轨迹区中的各关键帧逐一进行设定,使之缩放比例各不相同,关键帧之间各中间状态的画面缩放比例,将在画面运动中自动生成。

5.可以单击关键帧线上的某处,在此处生成新的关键帧,可以拖动新关键帧改变其位置,并对此处画面进行放大、缩小处理。

6.在素材画面缩放处理的过程中,同样要注意参考【监视器】上的画面显示,尤其应当注意各关键帧处,素材画面与屏幕的关系是否符合要求,并及时进行调整。

知识点

在 Premiere Pro 的【Motion】中,可以对视频素材的画面进行放大缩小的操作。本例中,在平移、翻滚的基础上,进一步对素材画面进行放大缩小的加工。可以对各关键帧分别设定其缩放比例。素材画面可以以其原大小为基准(100%),在 0%到 500%的范围内进行缩放变换。在画面运动的过程中,系统会自动根据各控制点的缩放情况,在画面平移、滚动的过程中,生成其尺寸大小的渐变。当素材画面的大小被改变以后,在画面的运动轨迹上可能会发生一些不希望出现的变化。

例如,本应全部移出屏幕范围之外的画面,可能会因为画面的放大而又重新出现在屏幕中。应当细致地分析素材画面的轨迹,避免意外发生。这种情况在画面的旋转、变形等处理中,同样有可能出现。如果要生成素材在原地的放大与缩小变化,操作步骤与本例基本上是一样的。只需令素材画面的开始关键帧与结束关键帧都与屏幕中心对齐,同时不再另外设定其他的关键帧就可以了。

Premiere Pro 与其他非线性编辑软件有所不同,它在于引入了合成的概念,并且能够与 Photoshop、Illustrator 等软件无缝集成,多样化的透明度键设置,强大的效果处理,使其可以在一个软件中同时完成效果合成和影片编辑的工作。

经常可以在影片中看到模拟手写、绘画过程的效果,通过 Premiere Pro,也可以利用【倾斜擦除】特效来制作该效果。【倾斜擦除】通过灰度图来进行对象间的过渡,灰度图中黑色区域最先透明,白色区域最后透明,中间的灰度区域根据其明度,确定透明的先后顺序。根据【倾斜擦除】特效这种特性,只要根据需要模拟的书写过程,沿路径建立一张灰度图,即可制作出手写效果。其中灰度图可在 Photoshop 等图像图形处理软件中制作,如图 8-9-8 所示。

图 8-9-8 灰度图

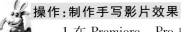

操作:制作手写影片效果

1.在 Premiere Pro 中,并建立一个新项目。

2.在项目窗口中,单击鼠标右键弹出菜单,选择【新建分类】→【颜色场】,建立一个白色遮罩。

3.将新建的白色遮罩加入到【时间线】的视频 1 轨道中,如图 8-9-9 所示。

图 8-9-9 将新建的白色遮罩加入轨道中

4.在【特效】窗口中,选择【视频转场】>【擦除】>【倾斜擦除】特效,将其拖入视频 1 轨道,弹出【Gradient Wipe Settings】对话框,如图 8-9-10 所示。

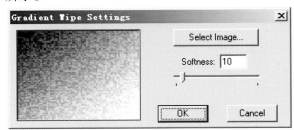

图 8-9-10 【Gradient Wipe Settings】对话框

5.在对话框中,单击【Select Image】按钮,载入制作好的灰度图像,如图 8-9-11 所示。

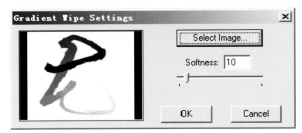

图 8-9-11 载入制作好的灰度图像

6.在对话框中,单击【OK】按钮,返回操作界面,将特效时间延长至与素材时间长度相等,视频轨道的效果如图 8-9-12 所示。

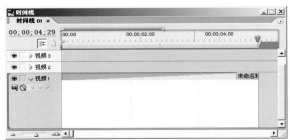

图 8-9-12 视频轨道的效果

由于本例中,文字为黑色,所以使用了一个轨道的颜色。如果文字颜色为其他颜色,可以创建两个轨道,加入文字颜色对象。

7.在【监视器】中预览效果,最终得到的手写影片效果如图 8-9-13 所示。

图 8-9-13　最终得到的手写影片效果

在显示一个文字时，按照其笔画先后顺序逐渐出现，犹如一个人使用其强劲的手在电脑屏幕上运笔如飞!

在影片中实现手写效果,不仅能简单地完成一个文字的显示,同时也展示了中华文字手工书写的美妙所在,苍劲有力、气势如虹! 在数字化的时代,我们不仅需要追求高效率,也需要美感,将中华悠久的书画过程通过电脑重现,不仅适用于书画教学,而且也可以培养下一代学习书画的热情,在数字化时代,也能将书画发扬光大!

小结:

通过简明扼要地讲解 Premiere Pro 的非线性编辑技术,主要针对影视动画专业,因为在动画制作中,最终每个动画镜头片段的连接都会用到 Premiere Pro 这个简单又常使用的编辑软件,为此在教学中有针对性地讲解了 Premiere Pro 非常常用的功能与技巧。

课外练习:

根据每节课的操作内容,练习每种常用的制作技能。

第九章 After Effects

本章有以下学习内容：

 学习目的

After Effects 与 Premiere 属于同一类型软件，但 Premiere 更偏重剪辑，而 After Effects 擅长各种特效处理。强大的自身功能和品类繁多的各种插件支持，使得 After Effects 在中端专业视频领域有着强劲的竞争力和大量的用户。尤其是它和 Premiere、Photoshop、Illustrator 的紧密集成能力，使其可以很方便地为视频效果合成制备素材。

After Effects 是一款专业的视频非线性编辑及后期合成软件，是制作动感图形和视觉效果的利器。通过使用层、滤镜、遮罩等工具，可以制作出广播级别的作品。这一课将用五个篇幅来讲解该软件的制作技术，使其快速掌握 After Effects。正式开始使用 After Effects 之前，先来熟悉一下 After Effects 的操作界面，另外 After Effects 的基本创作流程是很直观的，界面和工具也非常直观。

第一节　界面与工具

开启 After Effects，发现它的界面和 Adobe 家族的其他设计软件界面很类似，如图9-1-1所示。

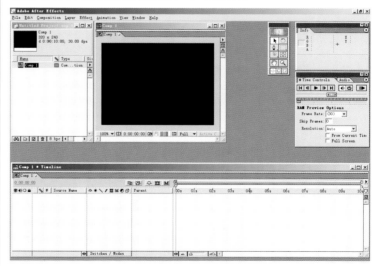

图 9-1-1　After Effects 的界面

下面对编辑器和工具作一下介绍：

项目窗口

用来放置作品 Composition 及所有素材的地方，它能显示素材文件的名称、格式、时间、长度、状态及镜头路径，如图9-1-2所示。

图 9-1-2　项目窗口

时间布局窗口

放入所需素材,进行集成、编辑、调整资料与设置的环境,如图 9-1-3 所示。

图 9-1-3　时间布局窗口

信息面板

当光标移动到所指的位置时,它标出 X 轴和 Y 轴的值与 RGB 的色彩值,如图 9-1-4 所示。

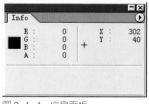

图 9-1-4　信息面板

工具面板

工具面板是制作工具,包含移动、缩放、旋转、蒙板、拖拉等,如图 9-1-5 所示。

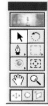

图 9-1-5　工具面板

时间控制面板

用来控制时间播放的工具,如图 9-1-6 所示。

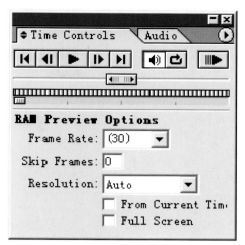

图 9-1-6　时间控制面板

音量控制面板

用来控制左右声道和主控音量的,如图 9-1-7 所示。

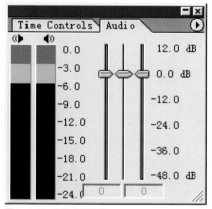

图 9-1-7　音量控制面板

第二节　合成制作流程

要制作影片,一般常用图像文件、字幕文件和素材影片几部分,进行编辑合成而成的。在这里,创建一个简单的项目、输入脚本、生成作品。

创建项目

操作:创建项目

1. 选 择 【Composition】>【New Composition】菜单命令,出现【Composition Settings】设置窗口,该窗口用来设置影像的规格,如图 9-2-1 所示。

图 9-2-3 出现导入的文件

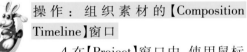 图 9-2-1 【Composition Settings】设置窗口

组织素材

操作：组织素材的【Composition Timeline】窗口

4.在【Project】窗口中,使用鼠标拖动素材文件至【Composition Timeline】窗口中,在【Comp】影像窗口中,可以看到预览图像,如图 9-2-4 所示。

Composition Name——作品的名称。

Frame Size——影片的长宽。

Fame Rate——设置每秒的帧数,中国一般设为 25 帧。

Duration——作品的长度。

Ryesolution——显示画质。

导入素材文件

操作:导入素材文件

2.用右键单击【Project】窗口的空白处,选择【Import】>【File】命令,出现【Impoyt File】对话框,选择需要的素材图像文件,单击【打开】按钮,导入素材文件,如图 9-2-2 所示。

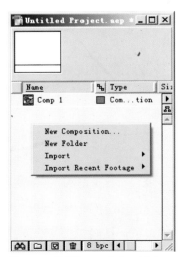

图 9-2-2 选择【Impect】>【File】命令

3.【Project】窗口中,出现导入的素材文件,如图 9-2-3 所示。

图 9-2-4 可以看到预览图像

5. 放置一个素材文件到【Composition Timeline】窗口中,第二个素材文件是一个透明的 Photoshop 的 psd 文件 , 所以直接就是个透明图层了,如图 9-2-5 所示。

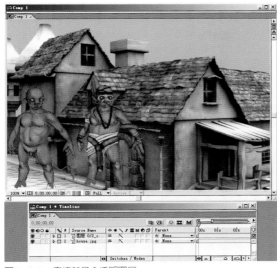

图 9-2-5　直接就是个透明图层

输入脚本

操作：输入文字脚本

6.制作好脚本，导入【项目】中，将其放置在【Composition Timeline】窗口中的最上层，并在【Comp】影像窗口中放置好位置，如图 9-2-6 所示。

图 9-2-6　制作好脚本并放入影像中

编辑制作影片

操作：制作旋转背景

7.在【Composition Timeline】窗口中，单击背景图层中的【Transform】选项的三角形按钮，展开下拉选项，然后单击【Rotation】，开始一个关键帧，如图 9-2-7 所示。

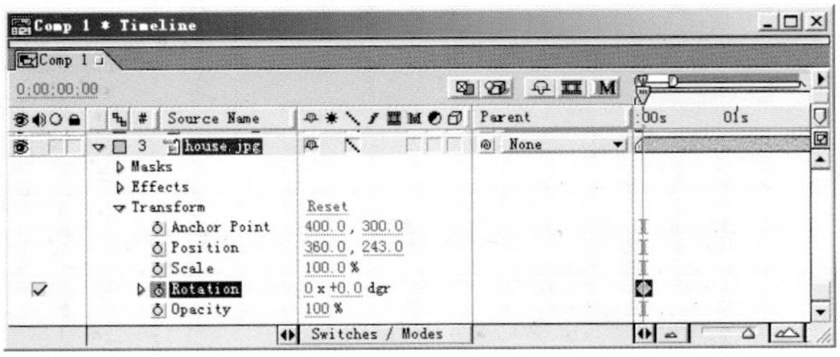

图 9-2-7　展开下拉选项

8.移动【时间标记】到另一个时间段，再使用【工具面板】的【旋转】工具，在【Comp】预示编辑窗中，进行旋转设置，直到满意为止，创建第二个关键帧，如图 9-2-8 所示。

图 9-2-8　进行旋转设置

预览播放作品

操作：使用【时间控制】器播放预览

9.移动【时间标记】到 0 的位置，单击【时间控制】面板的播放工具，预示一下作品，看完后就可以生成第一个作品了。

保存作品

操作：保存完成的影片

10.单击【Composition】>【Make Movie】菜单命令，在弹出的对话框中，输入作品名称，并选择一种动画文件格式，最后单击【保存】保存作品。

知识点

在合成制作中，最常用的方法和常规制作流程，也就是上述讲解的制作流程。可以根据制作的要求，在编辑制作中，使用更多的技术手段来表现作品的艺术魅力。三维软件渲染生成的图像文件，尤其是通过分层渲染的图像文件，利用 After Effects 进行文件的合成，是一个方便又快捷的方法，并且能在 After Effects 中利用缩放技术更加准确地合成影像。

第三节　剪辑制作流程

在上节课中，讲解了怎样用 After Effects 制作一个简单的片子。在这节中，学习 After Ef-

第二部分 技能与创作教学

113

fects 如何剪辑影片、加入声音等技巧,做一部完整的影片;在做影片之前要做到心中有数,剪辑完的片子是一个什么样,需要什么素材,如声音、影像、字幕等;在这个影片中,用两段 AVI 影像的素材,一段音乐和一个 Photoshp 制作的透明字幕,这些准备好了后,开始制作这段影片。

 操作:剪辑制作影片

1.建立一个新【Composition Timeline】,并组织影片素材,如图 9-3-1 所示。

图 9-3-1　组织影片素材

2. 再将影片需要的素材放置在【Composition Timeline】中,如图 9-3-2 所示。

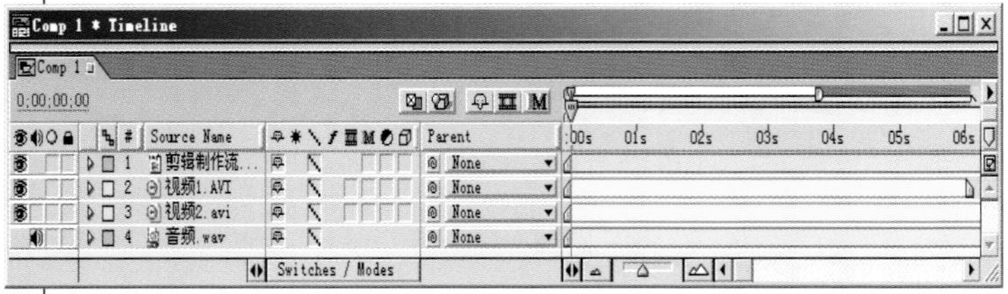

图 9-3-2　在【Composition Timeline】中放置素材

3.首先编辑视频的转场,可以先关闭字幕和音乐显示,只需在它们的显示图标上用鼠标单击一下,如图 9-3-3 所示。

图 9-3-3　先关闭字幕和音乐显示

4.对视频进行【入点】和【出点】编辑,在【Composition Timeline】窗口中,双击【视频 1】图层,将出现该图层的【Layer in Comp】窗口,如图 9-3-4 所示。

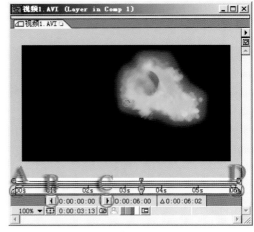

图 9-3-4　【Layer in Comp】窗口

A 是【时间控制杆】,可拉此杆控制欲到达的时间点上。

B 是将【时间控制杆】移动到认为是这个影片的【入点】时,单击此图标,进行【入点】设置。

C 是将【时间控制杆】移动到认为是这个影片的【出点】时,单击此图标,进行【出点】设置。

用这些按钮来控制这个层的影片的长短。

D 是这个层影片结束的位置。

5.根据需要创建【入点】和【出点】,如图 9-3-5 所示。

图 9-3-5　根据需要创建【入点】和【出点】

6　使用相同的方式,对另一个视频 2 作裁剪,如图 9-3-6 所示。

图 9-3-6　对另一个视频 2 作裁剪

下面对视频 1 和视频 2 位置进行调整。因为这两个素材影片的主要作用在于连接影片，并使其两个片段之间有淡入淡出的转场效果。

7.使用鼠标左键,拖动视频 1 与视频 2 结束处位置相交,如图 9-3-7 所示。

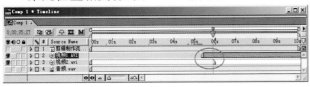

图 9-3-7 拖到视频 1 与视频 2 结束处位置相交

8.单击视频 1 图层前面的小三角,在展开【Transform】和【Opacity】前面的小三角时,单击【Opacity】选项创建关键帧,注意关键帧位置,如图 9-3-8 所示。

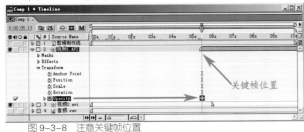

图 9-3-8 注意关键帧位置

9.将【Opacity】的参数设为 0%,如图 9-3-9 所示。

图 9-3-9 将【Opacity】的参数设为 0%

10.移动【时间控制杆】到视频 2 的最后结束点,如图 9-3-10 所示。

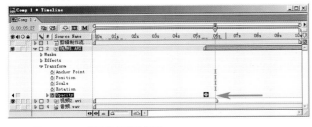

图 9-3-10 移动【时间控制杆】

11.单击【Opacity】的复选框,【Opacity】的参数设为 100%,如图 9-3-11 所示,注意观察关键帧的参数变化。

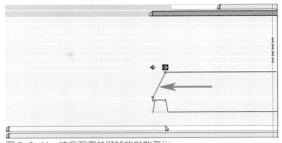

图 9-3-11 注意观察关键帧的参数变化

12.单击字幕的显示图标,使之为显示状态,向后移动放置字幕的位置,字幕在影片上的效果出现了,如图 9-3-12 所示。

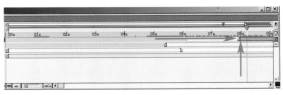

图 9-3-12 向后移动放置字幕的位置

13.单击音乐的显示图标,使之为显示状态,单击音乐图层前面的小三角,展开【Audio】选项,如图 9-3-13 所示。

图 9-3-13 展开【Audio】选项

14.单击【Audio】面板,此时可以对音量进行调解,如图 9-3-14 所示。

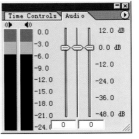

图 9-3-14 单击【Audio】面板

15.这里设计为前后静音,音量淡入淡出,参考如图 9-3-15 所示的关键帧设置。

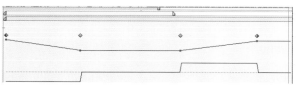

图 9-3-15 音量淡入淡出

16.预示剪辑的影片,满意后进行生成影片并保存作品,如图 9-3-16 所示。

图 9-3-16 预示剪辑的影片

第四节 路径文字

上几节讲解了 After Effects 的工具、合成、剪辑等,基本上可以制作一部影片了,其实 After Effects 还有好多强大的功能,是其他软件无法做到的,以前要做一组字在图形的外框转动,需要好多的时间才能完成,最后的作品也不一定特别理想。现在 After Effects 提供了这个功能,只要给它一个路径文字,就可以根据需要设计转动,这节课就是制作这一效果。

操作:制作路径文字

1. 建立一个新【Composition Timeline】,选择【Layer】>【New】>【Solid】菜单命令, 在 【Solid Footage Settings】 窗口中, 设置【Color】的颜色为白色,单击【Make Comp Size】按钮,如图 9-4-1 所示。

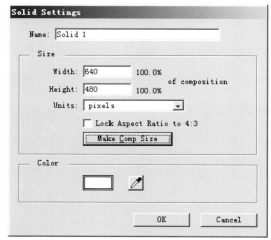

图 9-4-1 【Solid Settings】窗口中的设置

2.选择【Effect】>【Text】>【Path Text】菜单命令,在对话框中输入需要的文字,完成后单击【OK】,关闭对话框,如图 9-4-2 所示。

图 9-4-2 在对话框中输入需要的文字

3.在【Comp】窗口中,出现输入的文字和一条四个节点的路径,如图 9-4-3 所示。

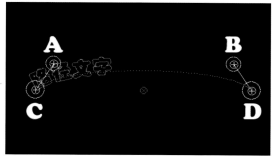

图 9-4-3 出现输入的文字和一条四个节点的路径

A 和 B 是为路径拉弧用,C 和 D 为两个端点。

4.可以调整路径,直到满意为止,参考如图9-4-4所示。

图9-4-4 调整路径

在【Comp Timeline】窗口中,可以为路径字设置关键帧。在这里设置关键帧,可以参考已经学习的知识来完成。

5.单击路径文字图层,展开【Effect】选项下的【Left Margin】进行设置。在0秒处,参数为0时,设置一个关键帧,在两秒处,参数设置为345时,设置一个关键帧,如图9-4-5所示。

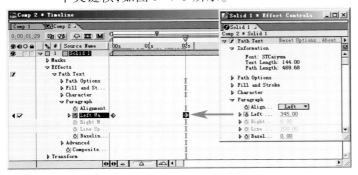

图9-4-5 设置路径关键帧

6.可以预览一下路径动画了。在【Effect Controls】面板中,还可以调节它的参数,改变它的路径形状、走动的方向等,如图9-4-6所示。

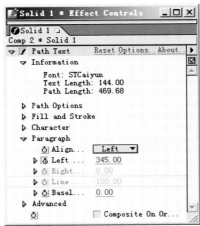

图9-4-6 【Effect Controls】面板

7.单击【Shape Type】选项边上的按钮,选择【Circle】路径,如图9-4-7所示。

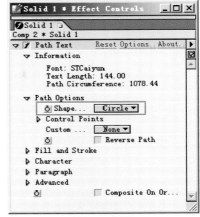

图9-4-7 选择【Circle】路径

【Shape Type】选项:

Bezier——就是初始的状态。

Circle——可作文字环绕运动。

Loop——如果选择该状,它会绕出到屏外。

Line——一直进行移动。

8.单击【Align Type】选项边上的按钮,选择一种对齐方式,如图9-4-8所示。

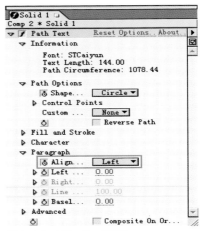

图9-4-8 【Align Type】选项

【Align Type】选项:

【Left】、【Right】、【Center】、【Force】是字体、居于路径的左、右、中和分布路径的总长。

9.调整字体的大小和间隔长度,如图9-4-9所示。

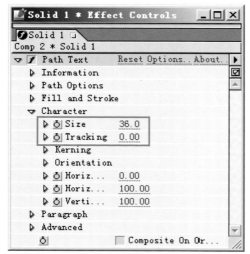

图 9-4-9 调整字体的大小和间隔长度

【Size】选项——字体大小。

【Tracking】选项——调整字距。

【Kerning】选项——调整特殊字的字距。

【Character Rotation】选项——字旋转特性。

【Vertical Writing】——对齐中心线。

【Perpendicular To Path】——贴合路径旋转角度。

【Rotary Roman Character】——转动字体的性质。

【Horizontal Shear】选项——水平修剪。

【Horizontal Scale】选项——字的宽度调整。

【VertiCal Scale】选项——字的高度调整。

第五节　视频编辑技能演练

操作:使用静帧图像编辑合成视频片段

技术要点:

创建合成影像

导入不同格式的素材文件

遮罩和轨道遮罩

旋转、缩放和透明度关键帧

Ramp 效果

影片的渲染

操作:创建合成影像

知识点

建立一个新的项目,要利用导入的素材进行加工,必须建立一个合成影像。在建立合成影像的时候,如果没有在合成影像对话框中改变设置,那么新合成影像则使用上次建立合成影像的设置,一旦创建了合成影像,可以随时随地改变其设置。

1.选择【Composition】>【New Composition】菜单命令,开启【Composition Settings】对话框,参考如图 9-5-1 所示设置。

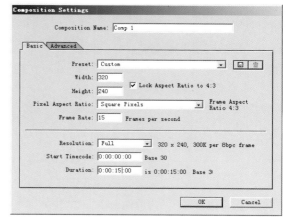

图 9-5-1 【Composition Settings】对话框的设置

在合成影像视窗中,After Effects 提供了显示帧的区域,同时还给出显示帧外边的区域,这样一来,可以清楚快捷地设置帧的入点和出点。帧尺寸最大可指定为 30000×30000 像素,帧显示区域在视窗的中央,可以把帧放在显示区域的外边,这样就容易设置关键帧的移动路径。

提示

合成影像的设置一旦被改变,不能使用 Undo 命令来撤销所做的修改,只能在【Composition】>【Composition Settings】对话框里重新设置需要的设置。

操作:导入素材项目

图 9-5-3 在视窗中组织素材顺序

要点

新的【合成影像】视窗一旦建立，并已经导入素材到【项目】视窗中，就可以向新【合成影像】视窗中添加素材或者其他合成影像，要实现这一过程，只需从【项目】视窗中拖动素材或者某一文件夹，至【时间线】视窗，或者【合成影像】视窗即可，可以在一个或多个【合成影像】视窗中，一次或者多次使用【项目】视窗中的同一素材。

操作：应用遮罩

知识点

遮罩是非线性编辑中最常用的技术之一，适当地利用它，可以把多个画面叠加在一起，产生各种赏心悦目的视觉效果。在 After Effects 中，合成影像最多可以包含 127 个遮罩，在层视窗中产生或查看遮罩，在【时间线】视窗中设置遮罩间的相互作用，可以通过动画遮罩路径上的"独立的关键帧控制点"来动画遮罩的形状，还可以设置遮罩的透明度。

第一个遮罩产生之后，可以使用各种方法，连续产生其他的遮罩，遮罩名称以其产生的顺序显示在层视窗中，为了方便管理和跟踪，可以使用更名的方式更改遮罩名。

注意

素材是 *After Effects* 组成项目的重要构成元素。当 *After Effects* 导入一个素材文件时，并不是把文件直接拷贝到 *After Effects* 项目下，而是在项目视窗与外部存储的文件之间建立一个超级的"参考链接"。这样一来，导入素材时，删除或者重命名源文件，就破坏了这种链接关系；移动源文件，就破坏了这种链接关系；移动源文件到其他的磁盘或者文件夹，也可能破坏这种链接关系。

当向合成影像中添加一个素材时，自动产生了一个新图层，素材成为新图层的源文件。根据不同需要，可以改变源文件而不影响对层本身属性所作的任何编辑。在 After Effects 中，可以导入众多格式的素材文件以及 Photoshop 外挂插件支持的文件格式。

2.选择【File】>【Import】>【File】菜单命令，载入"背景图.psd"、"花脸 1.psd"、"花脸 2.psd"、"素材 1.psd"、"素材 2.psd"等素材文件，如图 9-5-2 所示。

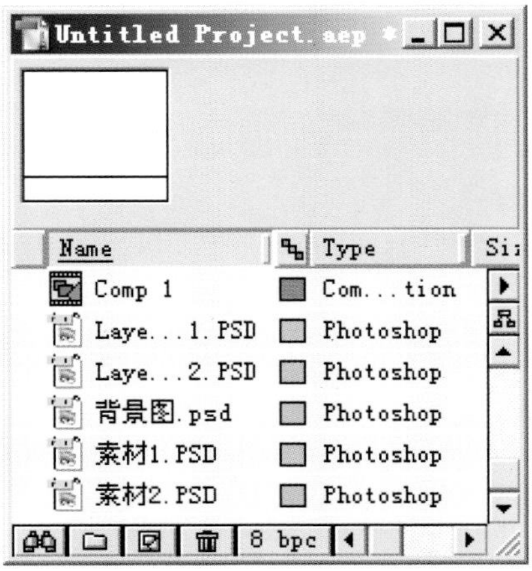

图 9-5-2 载入素材文件

3.将导入的素材全部放置到合成影像视窗中，然后在视窗中组织素材顺序，如图 9-5-3 所示。

4.设置当前时间为0,选择"背景图.psd",选择【Layer】>【Masks】>【New Mask】命令,创建一个新的遮罩, 在【时间线】视窗中, 展开该层的【Masks】属性,如图9-5-4所示。

图9-5-4　展开该层的【Masks】属性

在 After Effects 中,一般而言,可以绘制三种类型的遮罩。

矩形遮罩——也可以是正方形的。这种遮罩是最常用的, 它的预览和渲染速度是最快的,运用【矩形】工具进行绘制时,按住【Shift】键,可以绘制正方形。

椭圆形遮罩——也可以是圆形的。运用【椭圆】工具进行绘制,按住【Shift】键,可以绘制圆形。

Bezier 遮罩——可以使用【钢笔】工具绘制一个 Bezier 曲线路径作为遮罩,该类型的遮罩是最灵活多变的,适当地运用【钢笔】工具,可以产生任何形状的遮罩。

注意:遮罩产生之后,可以作为一个整体对其进行缩放或者旋转,也可以部分地修改它们。

5.选择【Layer】>【Mask】>【Mask Shape】菜单命令,开启【Mask Shape】对话框,参考如图9-5-5所示设置。

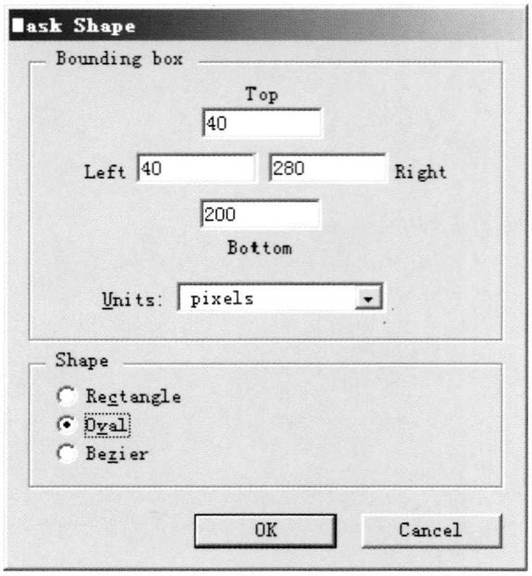

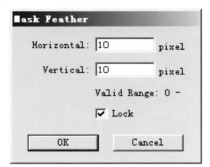

图9-5-5　在【Mask Shape】对话框的设置

6. 在【时间线】视窗中, 单击【Mask Shape】左边的计时器,为背景的形状变化设置关键帧,如图9-5-6所示。

图9-5-6　为背景的形状变化设置关键帧

7.选择【Layer】>【Mask】>【Mask Feacher】菜单命令,开启【Mask Feacher】对话框,参考如图9-5-7所示设置。

图9-5-7　在【Mask Feacher】对话框的设置

8.展开素材层的【Transform】属性,单击【Scale】属性左边的计数器。创建一个缩放关键帧,设置【Scale】属性右边的数值为90%,如图9-5-8所示。

图9-5-8　设置【Scale】属性

9.拖动当前时间标记至 00:07:00,开启【Mask Shape】对话框,参考如图9-5-9所示设置。

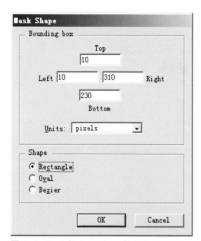

图 9-5-9　在【Mask Shape】对话框的设置

10.设置当前时间标记至 00:10:00,设置【Scale】的参数为 100%,参考如图 9-5-10 所示设置。

图 9-5-10　设置【Scale】的参数为 100%

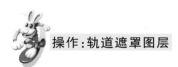

操作:轨道遮罩图层

11.在【时间线】视窗中,单击【Swithed/Modes】开关,切换到如图 9-5-11 所示的状态。

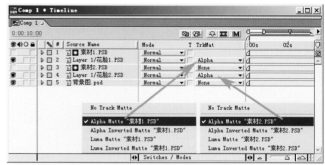

图 9-5-11　单击【Swithed/Modes】开关

12.在【时间线】视窗中,将具有 Alpha 通道的素材放置在视频中真实显示的素材之上,"花脸 1"和"花脸 2"是实际显示素材,"素材 1"和"素材 2"是具有 Alpha 通道的素材,

它们的 Alpha 通道为渐变过渡的空白图像,如图 9-5-12 所示。

图 9-5-12　将具有 Alpha 通道的素材放置在视频中真实显示的素材之上

13.在 TrkMat 栏中,将"花脸 1"添加为【Alpha Matte 素材 1】,将"花脸 2"添加为【Alpha Matte 素材 2】,如图 9-5-13 所示。

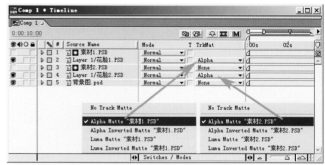

图 9-5-13　在 TrkMat 栏中添加遮罩

14.在【合成影像】视窗中显示的结果,如图 9-5-14 所示。

图 9-5-14　在合成影像视窗中显示的结果

操作：旋转和缩放属性

图层可以相对于其原始位置旋转任意角度，也可以旋转多次，当依时间连续旋转一个素材图层时，该选项功能是十分有效的。通常情况下，图层以其定位点为中心进行旋转的，可以在【合成影像】视窗中，运用旋转工具，或者在【时间线】视窗中，输入一个新的角度值来动画图层的旋转属性，另外可以被部分或者全部地旋转出显示区域。

默认状态下，图层在图视窗中是以原始尺寸显示的，可以通过在合成影像视窗中拖动图层的相关把手，或者在【时间线】视窗中，修改【Scale】属性来缩小或者放大图层，通过缩放图层可以使它部分或者全部地位于框架的外面。记住一点，缩放操作是围绕定位点进行的。

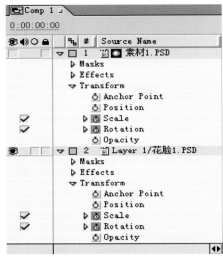

图 9-5-15　创建缩放和旋转关键帧

16.在【Scale】和【Rotation】属性中，设置两个图层的【Scale】和【Rotation】属性，分别为 50 和 0，如图 9-5-16 所示。

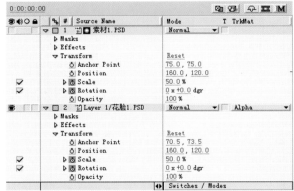

图 9-5-16　设置两个图层的【Scale】和【Rotation】属性

17.设置当前帧为 00:07:00，在设置【Scale】和【Rotation】属性的关键帧时，参考如图 9-5-17 设置【Scale】和【Rotation】的值。

15.设置当前帧为 0，在【时间线】视窗中，选择"花脸 1"和"素材 1"图层，展开它们的【Transform】属性，单击【Scale】和【Rotation】属性左边的计数器，创建缩放和旋转关键帧，如图 9-5-15 所示。

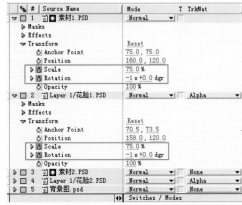

图 9-5-17　设置【Scale】和【Rotation】属性的关键帧

18.再设置"花脸2"和"素材2"图层,同步设置【Scale】和【Rotation】属性,其方法与上面相同,只是【Rotation】属性值正好相反,如图9-5-18所示。

	#	Source Name	Mode	T	TrkMat
▷ □	1	素材1.PSD	Normal		
▷ □	2	Layer 1/花脸1.PSD	Normal		Alpha
▽ □	3	素材2.PSD	Normal		None
		▷ Masks			
		▷ Effects			
		▽ Transform	Reset		
		Anchor Point	75.0, 75.0		
		Position	160.0, 120.0		
		▷ Scale	75.0 %		
		▷ Rotation	0 x +0.0 dgr		
		Opacity	100 %		
▽ □	4	Layer 1/花脸2.PSD	Normal		Alpha
		▷ Masks			
		▷ Effects			
		▽ Transform	Reset		
		Anchor Point	69.0, 71.0		
		Position	160.0, 120.0		
		▷ Scale	75.0 %		
		▷ Rotation	0 x +0.0 dgr		
		Opacity	100 %		
▷ □	5	背景图.psd	Normal		None

图9-5-18　设置"花脸2"和"素材2"图层

19.在时间00:07:00时的合成影像的结果,如图9-5-19所示。

图9-5-19　合成影像的结果

操作:旋转和缩放属性

知识点

在After Effects中是通过关键帧产生和控制动画的,关键帧标志了合成影像中的一个时间点,在该点上对层的属性指定了一个值,无论是何种动画,都至少需要两个关键帧,这是最基本的。变化从第一个关键帧开始,至第二个关键帧结束,系统在关键帧之间,通过插入过渡帧产生动画,过渡帧是基于一个

关键帧,到下一个关键帧之间属性的变化值进行插值而最终得到的。

有无关键帧都可以修改图层的属性,如果没有设置关键帧,或者仅仅设置了一个关键帧,所修改图层的属性值在整个图层的持续时间上均有效。

一般而言,一个关键帧包含了下面的信息:

什么时候发生变化

关键帧所在时间点的属性值

哪个属性发生变化

关键帧间变化的速度

前一个关键帧到下一个关键帧之间的值变化类型,或者平滑,或者突变

20.设置当前时间为0,双击【项目】视窗,载入"戏"、"剧"、"人"、"生"四个图像文件,这些文件都是从Photoshop中制作的,载入以后,在【合成影像】视窗中,调整各个文字的开始位置,结果如图9-5-20所示。

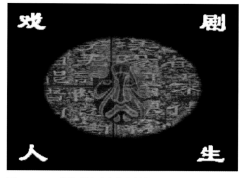

图9-5-20　调整各个文字的开始位置

在【合成影像】中,每个图层在指定的位置上显示,当增加素材图层时,可以根据需要设置其初始位置,也可以在【合成影像】视窗中移动图层位置。当动画位置值时,After Effects在【时间线】视窗或者图层视窗中,以运动路径方式显示图层的移动,运动路径通过一系列的点来表示,每个点标志了每一帧中的图层的位置,路径中的X标志了关键帧的位置,X间的点密度表示图层的相对速度,紧凑在一起的点表示较慢的速度,稀疏的点表示较快的速度。

21.展开"戏"图层的【Position】属性,或按快捷键【P】,显示【Position】属性,并设置第一个关键帧。

22.设置当前时间为 00:08:00,拖动"戏"图层至如图 9-5-21 所示的位置。

图 9-5-21　放置"戏"图层的位置

23.选择"剧"图层,运用鼠标拖动当前时间标记至开始时间,按快捷键【T】调出【Opacity】属性,设置第一个关键帧,并设置【Opacity】值为 5%。

默认情况下,除了包含遮罩或者 Alpha 通道的区域,一个图层是以完全不透明的方式显示的,通过设置不透明度低于 100%,可以调节透明属性的程度,改变图层的不透明度时,其透明度可以随时间变化,在空间上并不发生变化。

24. 设置当前时间为 00:08:00,设置【Opacity】值为 100%。

25.选择"人"图层,设置当前时间为开始时间,设置【Position】和【Rotation】关键帧。

26.在 00:04:00 时,设置【Position】为 161、201 和【Rotation】为 180。

27.在 00:08:00 时,设置【Position】为 209、177 和【Rotation】为 360。

28.选择"生"图层,当前帧到开始时间,设置【Scale】和【Rotation】关键帧,并设置【Scale】为 20%、【Rotation】为 0。

29.在 00:08:00 时,设置【Scale】为 130%,【Rotation】为 360。

30.最终设置效果,如图 9-5-22 所示。

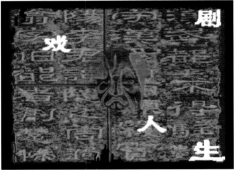

图 9-5-22　最终设置效果

Ramp 效果

该效果可以创建一种色彩渐变,然后将之与源图像的内容进行混合,创建的渐变效果,包括线性渐变和辐射渐变。另外,根据不同的需要,可以随时改变渐变图层的位置和色彩。

31.选择"生"图层,然后选择【Effect】>【Render】>【Ramp】菜单命令,开启效果控制对话框,如图 9-5-23 所示。

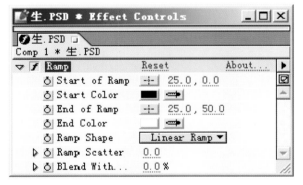

图 9-5-23　开启效果控制对话框

Start of Ramp——指定渐变的开始位置。

Start Color——指定渐变的开始颜色。

End of Ramp——指定渐变的结束位置。

End of Color——指定渐变的结束颜色。

Ramp Shape——指定渐变方式。

Ramp Scatter——在渐变的色彩中消除混合,分散色彩,避免产生一个完美的平滑过渡。

Blend With Original——与原图混合。

32.设置当前时间为开始时间,在对话框中,单击【Blend With Original】创建关键帧,设置参数值为100%,如图9-5-24所示。

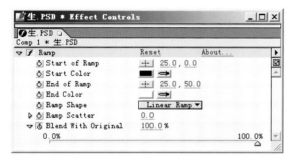

图9-5-24 创建【Blend With Original】关键帧

33.设置当前时间为00:08:00,设置【Blend With Original】的值为0%。

34.最终效果如图9-5-25所示。

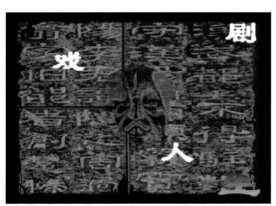

图9-5-25 最终效果

不透明度关键帧

35.双击【项目】视窗,载入"太极拳"、"油墨"和"化妆笔"。

36.设置当前时间为开始时间,组织素材到【时间线】,并合理安排顺序,如图9-5-26所示。

图9-5-26 组织素材到【时间线】

37.选择"太极拳"、"油墨"和"化妆笔"图层,设置当前时间为开始时间,按快捷键【T】,调查【Opactiy】属性,设置参数为0,并创建关键帧。

38. 设置当前时间为00:08:00,设置【Opactiy】值为100%。

调整视频素材

39 选择"太极拳"图层,设置当前时间为开始时间,选择【Layer】>【Mask】>【New Mask】菜单命令,展开【Mask】属性,单击【Mask Shape】属性,开启【Mask Shape】对话框,参考如图9-5-27所示设置。

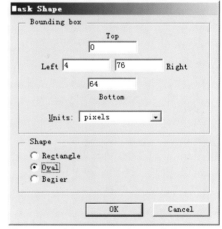

图9-5-27 在【Mask Shape】对话框的设置

40.设置【Mask Feather】的值为5,如图9-5-28所示。

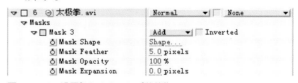

图9-5-28 设置【Mask Feather】的值为5

41.设置当前时间为00:08:00,此时【合成影像】视窗中,只有视频素材仍然在继续播放,如图9-5-28所示。

图 9-5-29　只有视频素材仍然在继续播放

渲染影片

警告:渲染时,不能运行 After Effects 进行其他的工作。

42.设置整个工作区为 0 到 15 秒,选择【Composition】>【Mask Movie】菜单命令,为影片取名,并保存在文件中,在【Render Queue】对话框中,从【Render Settings】下拉列表中,选择【Draft Setting】选项,如图 9-5-30 所示。

知识点

合成影像的最终合成,可能需要几分钟或者几小时,合成影像的尺寸、质量、复杂度和压缩方式,都是影响渲染时间的因素。当把合成影像放入渲染序列时,它就成为一个渲染项,不再有自己的渲染参数设置,渲染完成后,系统会给出声音提示。

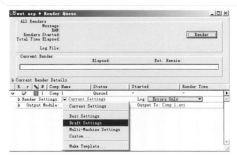

图 9-5-30　选择【Draft Setting】选项

43.从【Output Module】下拉列表中,选择【Custom】选项,在弹出的对话框里,选择参考如图 9-5-31 所示设置。

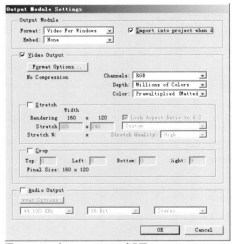

图 9-5-31　【Output Module】设置

44.单击【OK】按钮,设置完成,然后单击【Render】按钮进行渲染。

45. 渲染完成后, 双击【项目】视窗中的【Comp.avi】,进行预览。

46.还可以在【Render Queue】对话框中,从【Render Settings】下拉列表中,选择【Best Setting】选项,然后单击【Best Setting】选项,开启对话框,参考如图 9-5-32 所示。

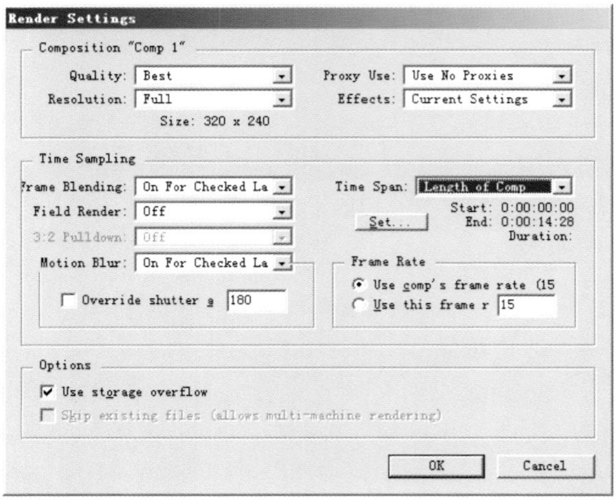

图 9-5-32　参考设置

47.从【Output Module】下拉列表中,选择【Custom】选项,在弹出的对话框里,选择参考如图 9-5-33 所示设置。

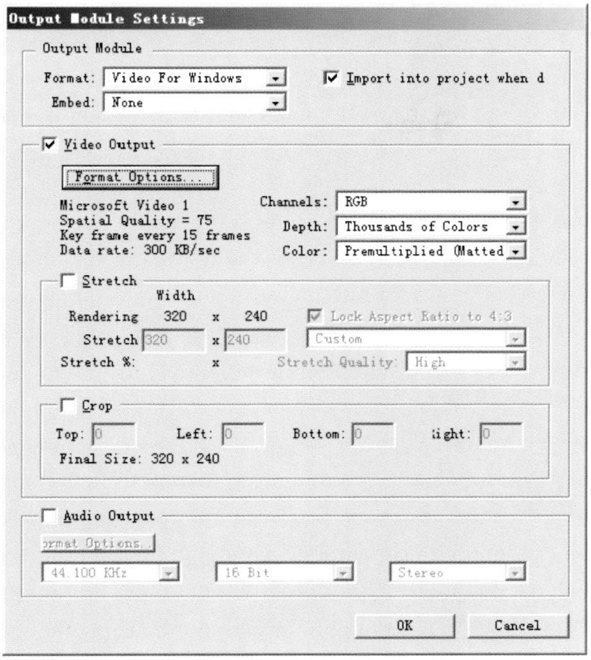

Output Module Settings

Output Module

Format: Video For Windows ▾   ☑ Import into project when d

Embed: None ▾

☑ Video Output

[Format Options...]

Microsoft Video 1   Channels: RGB ▾
Spatial Quality = 75   Depth: Thousands of Colors ▾
Key frame every 15 frames   Color: Premultiplied (Matted ▾
Data rate: 300 KB/sec

☐ Stretch
         Width
Rendering   320 × 240   ☑ Lock Aspect Ratio to 4:3
Stretch 320 × 240   Custom ▾
Stretch %:   ×   Stretch Quality: High ▾

☐ Crop
Top: 0   Left: 0   Bottom: 0   Right: 0
Final Size: 320 × 240

☐ Audio Output
[Format Options...]
44.100 KHz ▾   16 Bit ▾   Stereo ▾

[OK]   [Cancel]

图 9-5-33 【Custom】选项设置

小结：

在本节中，通过示例制作影片，从开始一个新的合成影像、导入素材项目、运用各种制作手段，到最终渲染合成影片，再一次学习和领会了 After Effeces 的基本概念。

课外练习：

根据所学的技能，制作一个影片片段。

注意

可以单击【Format Options】按钮，开启对话框，进行压缩程序选择，如图 9-5-34 所示。

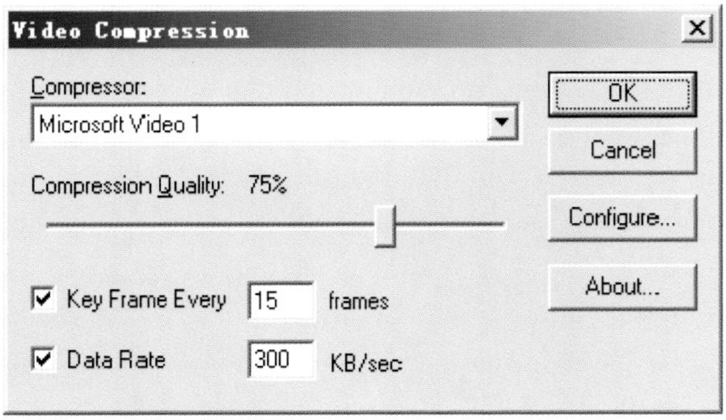

Video Compression

Compressor:
Microsoft Video 1 ▾

Compression Quality: 75%

☑ Key Frame Every [15] frames

☑ Data Rate [300] KB/sec

[OK]
[Cancel]
[Configure...]
[About...]

图 9-5-34 进行压缩程序选择

48.设置完成后，进行渲染。

第十章　高级应用编辑技术

学习目的

After Effects 与 Premiere 属于同一类型软件，但 Premiere 更偏重剪辑，而 After Effects 擅长各种特效处理。强大的自身功能和品类繁多的各种插件支持，使得 After Effects 在中端专业视频领域有着强劲的竞争力和大量的用户。

知识点

在 After Effeces 中，可以导入 Photoshop 文件，并且可以保存 Photoshop 中单独制作的图层和图层遮罩，因此可以利用 Photoshop 编辑工具方便快速地制作静态图像的动画，也可以在 Photoshop 中，通过图层重新安排合成影像的图层。

当以合成影像的方式导入分层的 Photoshop 文件时，合成影像中所有图层仍保留它们在 Photoshop 中设置的原始位置，可以在 After Effeces 中打开该合成影像，并对图层进行动画。

在导入 Photoshop 文件之前，要确定该文件可以减少预览和渲染时间，并为 Photoshop 的图层命名合适的名称，这样一来，可以避免导入和修改时出现不必要的麻烦。

导入 Photoshop 文件

注意

After Effeces 在导入 Photoshop 文件时，同时也导入了在 Photoshop 中应用到的各种属性，例如位置、透明模式、不透明度、调节图层和图层效果等等。

1.在【项目】视窗中,右击鼠标,选择【Import】>【File】选项,选择"Moon.Psd"文件,并设置【Import As】选项为【Composition】方式,单击【打开】按钮,导入素材文件,如图 10-1-1 所示。

图 10-1-1　设置【Import As】选项

2.在【项目】视窗中,它是作为一个合成影像作品显示的,同时也带有一个单独的图层文件,如图 10-1-2 所示。

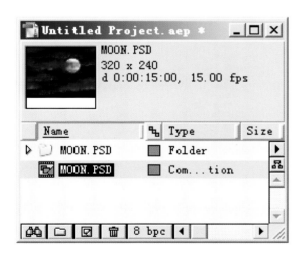

图 10-1-2　带有一个单独的图层文件

3.在【项目】视窗中,双击"Moon.Psd"合成影像,调出该【时间线】视窗,在【时间线】视窗中,可以看到该合成影像是由五个不同图层组成的,如图 10-1-3 所示。

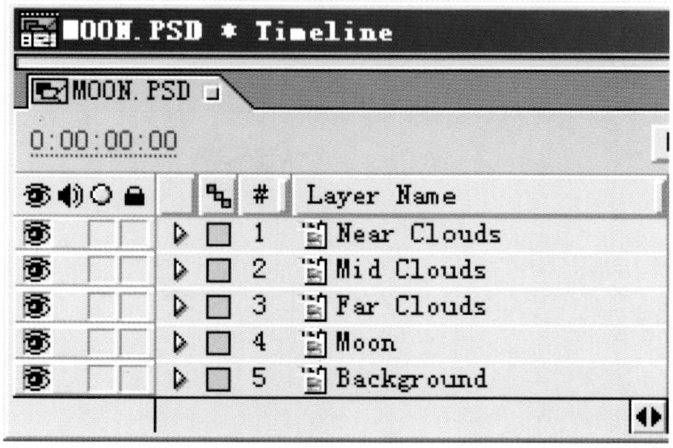

图 10-1-3　由五个不同图层组成

重新设置合成影像

知识点

建立一个新的项目,要利用导入的素材进行工作,必须建立一个合成影像。在建立合成影像时,如果没有在合成影像对话框中改变设置,那么新合成影像使用上次建立合成影像的设置,一旦建立了合成影像,可随时改变其设置。

4.选择【Composition】>【Composition Settings】菜单命令,参考如图 10-1-4 所示设置。

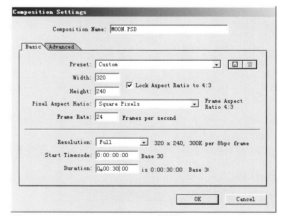

图 10-1-4　【Composition Settings】设置

在【Frame Rate】设置为 24,即每秒播放 24帧;在【Duration】设置为 00:00:30:00,即合成影像的持续时间为 30 秒;持续时间是指合成影像的总时间长度,也就是播放整个合成影像需要花费多长时间。

调整静态图层的持续时间

知识点

一般而言,当调整合成影像的持续时间时,组成合成影像的图层的持续时间不会产生变化。不过,可以在图层视窗或者【时间线】视窗中剪辑图层,以便调整其持续时间。

5.双击"Far Color"图层,增加该静态图像的持续时间至 30 秒,如图 10-1-5 所示。

图 10-1-5　增加该静态图像的持续时间

也可以在【时间线】视窗中,完成相同的操作。

6.将【时间线】视窗中的所有图层增加持续时间至 30 秒。

7.设置当前时间为 00:30:00,选择所有的图层,然后按【Alt】+组合键,对所有的图层进行剪辑处理。

Offset 效果

知识点

知识要点:该效果是最有使用价值的效果之一,可以在图层中"摇动"图像,直观感受离开图像的一侧出现在图像的相对侧。

8.设置当前时间为 0,撤销对所有图层的选择,按【Shift】键,选择如图 10-1-6 所示的图层,并展开它们的属性。

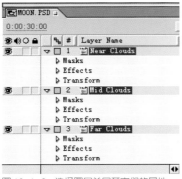

图 10-1-6　选择图层并展开它们的属性

9.选择【Effect】>【Distort】>【Offset】菜单命令,对选择的图层,应用 Offset 效果,并弹出设置对话框,如图 10-1-7 所示。

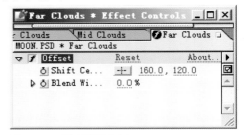

图 10-1-7　弹出设置对话框

Shift Center To——指定原图像中心点的新位置。

Blend With Original——偏移图像与源图像的混合程度。

10. 在【时间线】视窗中,分别创建【Shift Center To】属性的关键帧,如图 10-1-8 所示。

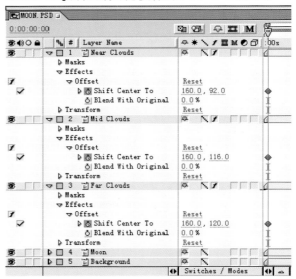

图 10-1-8　分别创建【Shift Center To】属性的关键帧

11.设置当前合成影像的分辨率为 200%,分别单击"Near Clouds"和"Mid Clouds"图层左边的显示切换开关,隐藏这两个图层,这时合成影像的显示状态如图 10-1-9 所示。

图10-1-9 合成影像的显示状态

12.设置当前时间为00:30:00,选择"Far Color"图层,在【时间线】视窗中,设置【Shift Center To】属性的值为−50和120,如图10-1-10所示。

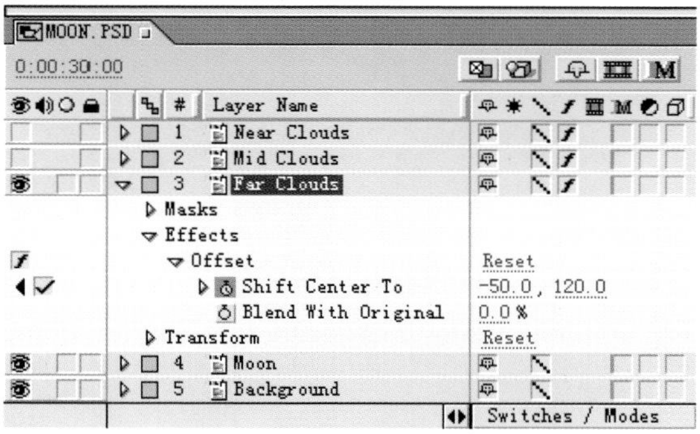

图10-1-10 设置【Shift Center To】属性的值

13.显示"Near Clouds"和"Mid Clouds"图层,选择"Mid Clouds"图层,设置【Shift Center To】属性的值为−150和120;选择"Near Clouds"图层,设置【Shift Center To】属性的值为−250和120,如图10-1-11所示。

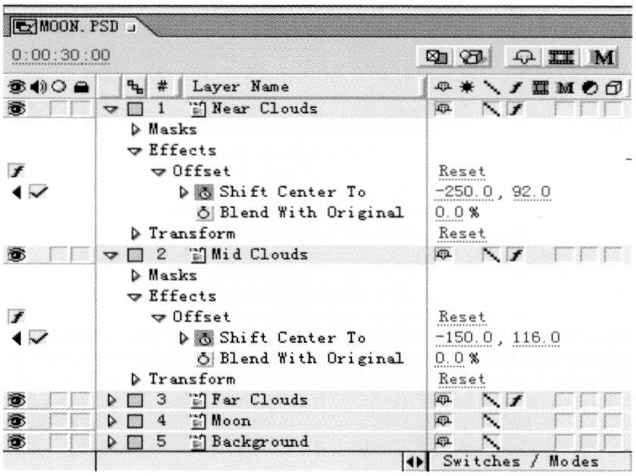

图10-1-11 设置"Near Clouds"和"Mid Clouds"图层

轨道遮罩图层

要点

当通过另一个图层上的"洞口"显示一个图层时,可以建立轨道遮罩图层,轨道遮罩图层需要两个图层来实现,一个图层用作遮罩图层,另一个图层填充遮罩图层上的"洞口"。

在After Effects中,通过Alpha通道或像素的亮度值来定义轨道遮罩图层的透明度,当使用一个没有Alpha通道的图层来产生轨道遮罩图层时,运用亮度值是十分有效的,同时使用Alpha通道遮罩和亮度遮罩时,具有较高值的像素变得更透明。在大多数情况下,可以使用高对比的遮罩图层,让那些区域完全透明或不透明。

14.选取【Composition】>【New Composition】菜单命令,建立新的合成影像,设置"Final Comp"作为名称,保持以前所有参数设置不变,单击【OK】按钮,关闭对话框。

15.右击【项目】视窗,选择【Import】>【File】选项,导入"House"和"Hmatte"文件。

16.设置当前时间为0,从【项目】视窗中,拖动"Moon"合成影像至【Final Comp】视窗中,然后,拖动"House"和"Hmatte"素材文件至【Final Comp】视窗中,将"Hmatte"图层放置到最上层,合成影像视窗的显示状态,如图10-1-12所示。

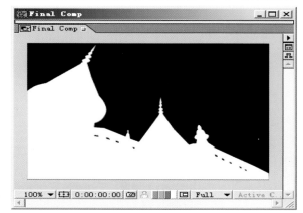

图10-1-12 合成影像视窗的显示状态

17.在【时间线】视窗中,单击"Switches/Modes"开关,调出"TrkMat"和"Mode"控制面板。

18.在"House"图层的"TrkMat"下拉菜单中,选择【Luma Matte"Hmatte.Psd"】,如图10-1-13 所示。

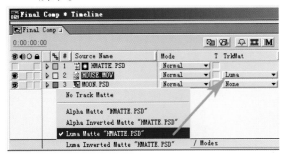

图10-1-13　选择【Luma Matte"Hmatte.Psd"】

时间延时

知识点

通过【Time Stretch】命令,可以非常容易地在播放图层时变化播放的速度。对一个图层进行加速或者减速,称为"时间延时",当对图层进行延时处理时,音频或视频素材中的源帧,以及属于该图层的所有关键帧,重新分布在新的时间段上。

对图层进行延时处理后,如果得到的帧速率完全不同于源速率,图层的运动质量可能会受损,这时可以开启【Frame Blending】,以改进慢运动或者快运动的效果。

注意:对一个静态图像进行延时处理时,可能会影响关键帧的精度以及 After Effects 的执行效率,推荐的方法是拖动静态图层持续时间条尾部的三角形图标,设置该图层的持续时间。

19.在【项目】视窗中,选择"House"图层,通过视窗上部的信息, 可以得到源图像的信息,如图10-1-14 所示。

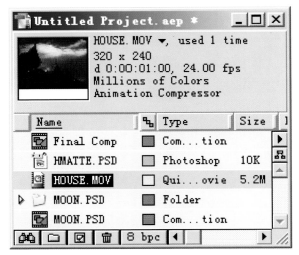

图10-1-14　得到源图像的信息

20.在【时间线】视窗中,选择"House"图层,然后选择【Layer】>【Time Stretch】菜单命令,参考如图10-1-15 所示设置。

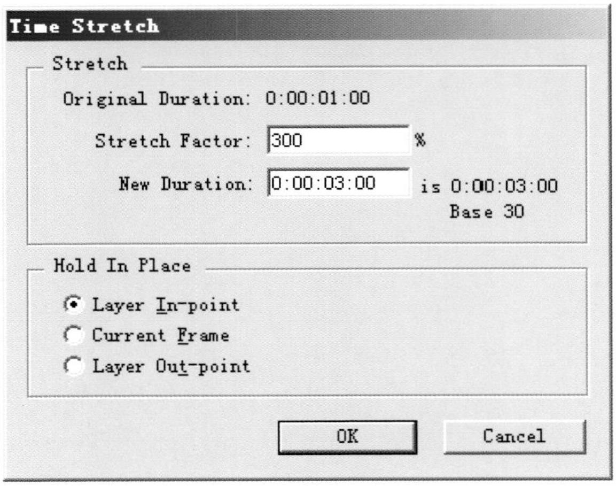

图10-1-15　【Time Stretch】的设置

21.在【时间线】视窗中,为防止图层的运动质量受损,单击【Frame Blending】检测框,开启帧融合,如图10-1-16 所示。

图10-1-16　开启帧融合

22.在【项目】视窗中,选择"House"素材,然后选择【Interpret Footage】>【Main】菜单命令,参考如图10-1-17 所示设置。

图 10-1-17 【Main】的设置

23.在【时间线】视窗中,拖动"House"图层持续时间条、尾部的三角形至 00:04:00,以增加该图层的持续时间,如图 10-1-18 所示。

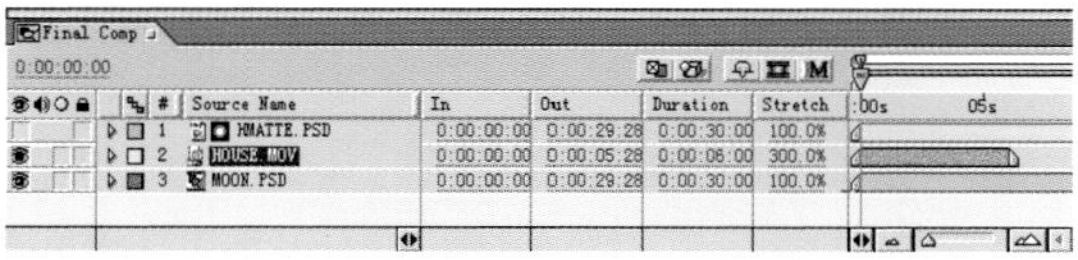

图 10-1-18 增加该图层的持续时间

图层模式

知识点

图层模式控制着每个图层,如何与下面的图层融合或者结合,从而得到不同的效果,Stencil 和 Silhouette 图层模式影响其下面图层的 Alpha 通道,其他的图层模式则影响颜色的显示。

24.导入"Scary"素材文件,设置当前时间为 00:01:00,从【项目】视窗中,将其拖入【时间线】视窗中,单击【Switches/Modes】按钮,在【Mode】下拉菜单中,选择【Hart Light】选项,如图 10-1-19 所示。

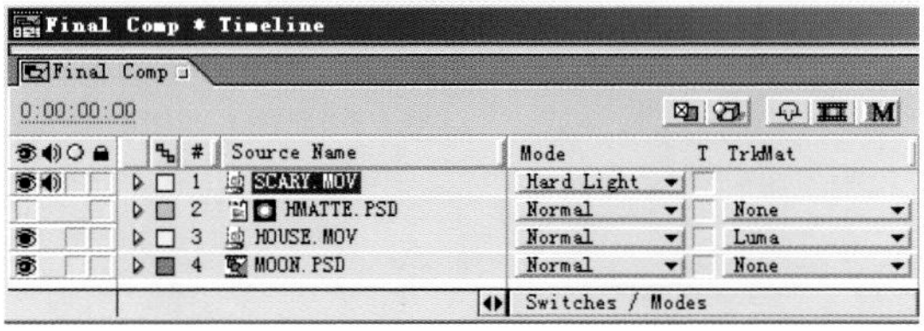

图 10-1-19 选择【Hart Light】选项

Brightness 和 Contrast 效果

知识点

Brightness 和 Contrast 效果可以调节整个图层的亮度和对比度,无论是对整个图像还是图层中的某一选定区域,都能用亮度和反差来调节,每一个滑块的中点是"中性的",表示没有受任何影响,图层的质量设置不会影响明亮度和对比度。

通常情况下,如果想对图像的"色调范围"进行简单的调节,Brightness 和 Contrast 效果是最容易最简单的方法之一,它不像 Curves 和 Levels 效果,该效果可以同时对所有像素区域进行,增加高亮区、阴影和中间色调的调节。

警告:Brightness 和 Contrast 效果不可以应用于单一通道。

25.在【时间线】视窗中,选择"Scary"图层,然后选择【Effect】>【Adjust】>【Brightness 和 Contrast】菜单命令,参考如图 10-1-20 所示设置。

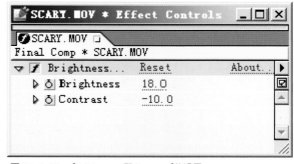

图 10-1-20 【Brightness 和 Contrast】的设置

Tint 效果

知识点

该效果可以调节图像的颜色信息,对于每一个像素而言,亮度值在两种颜色之间确定一混合效果,暗色像素被映射为 Map Black To 指定的颜色,亮色像素被映射为 Map White To 指定的颜色,介于两者之间的像素被赋予对应的中间值。

26.在【时间线】视窗中,选择"Scary"图层,然后选择【Effect】>【Image Control】>【Tint】菜单命令,参考如图 10-1-21 所示设置。

图 10-1-21　【Tint】的设置

27.此时合成影像的显示状态,如图 10-1-22 所示。

图 10-1-22　合成影像的显示状态

不透明度属性

知识点

默认情况下,除了包含遮罩或者 Alpha 通道的区域,一个图层是以完全不透明的方式显示的,通常设置不透明度低于 100%,可以调节透明的程度,改变图层的不透明度时,其透明度可以随时间变化,空间上并不发生变化。

28.选择"Scary"图层,展开【Transform】属性,设置当前时间为 00:01:00,设置【Opacity】值为 10%,创建一个关键帧;设置当前时间为 00:01:10,设置【Opacity】值为 100%,创建一个关键帧;设置当前时间为 00:03:00,设置【Opacity】值为 100%,创建一个关键帧;设置当前时间为 00:03:15,设置【Opacity】值为 10%,创建一个关键帧。设置完成后,【时间线】的关键帧状态,如图 10-1-23 所示。

图 10-1-23　【时间线】的关键帧状态

编辑声音文件

知识点

当向合成影像中添加包含声音的视频文件时,在【时间线】视窗中,只有视频文件是以图层形式表现的,声音并没有以单一图层的形式显示出来。尽管如此,还是可以改变声音的质量,以指定的质量格式预视、识别和标志声音。

29.在【时间线】视窗中,选择"Scary"图层,展开【Audio】属性,单击【Waveform】旁的小三角,展开属性,显示出声音比波纹,如图 10-1-24 所示。

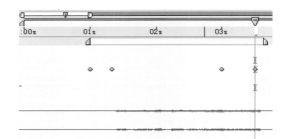

图 10-1-24　显示出声音比波纹

30. 开启音频控制面板，调节音频的音量，如图 10-1-25 所示。

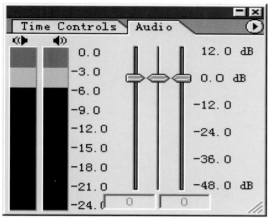

图 10-1-25 调节音频的音量

预视音频时，After Effects 显示一个片段信号，指定正在播放音频，当音频信号超出处理设备的最大值时，该片段失真。After Effects 也显示一个音量(UV)，在播放音频时显示音量的级别。如果要以更加详细的方式观察音量表，可以增加音频控制面板的高度。

31. 对音量进行适当的设置。

音频控制面板中的音量表在播放时显示其音量范围，音量表顶部的红色表示系统所能处理的极限级别，渲染时音频可能失真，可以单击红色"喇叭"图标，使其变成黑色，取消警告信号。

在合成影像中，新添加一个图层后，新的图层放在所有图层的顶部。顶部的图层在【合成影像】视窗中，也是在最前面对应于素材图层的前后关系，改变图层的顺序将改变合成影像的显示状态。

调整图层的位置

32. 在【时间线】视窗中，选择"Scary"图层，并将其放置在"House"和"Moon"之间，并向右移动一点，如图 10-1-26 所示。

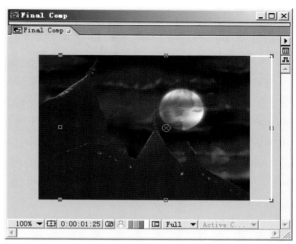

图 10-1-26 向右移动一点

在【合成影像】视窗中，可以直接通过鼠标进行拖动，也可以使用键盘上的方向键进行移动。

33. 选择【File】>【Save As】菜单命令，保存项目文件。

渲染影片

渲染一部高质量的影片，需要花费几分钟或者几个小时。基于这个原因，应该尽可能地减少渲染影片的次数，不过在渲染测试影片时，为了加快渲染的速度，可以降低渲染质量来渲染影片，在输出最终影片时，再将分辨率设置为需要的分辨率，并将质量设置为最好。

在项目制作中，生成影片并不一定是最后工作环节，有时为了简化结构和加速预览，会经常渲染合成影像，为了预视运动，也可以渲染影片。

在渲染之前，要特别注意几点，以保证渲染的顺利进行：

保存项目
渲染进行之前，一定要保存项目文件。

硬盘空间

有足够的硬盘空间供最终影片使用,最终影片更能高达几百兆,这些由项目内容和压缩方法决定。如果没有足够的空间,After Effters 在渲染时会给出警告,可以暂停渲染,以便腾出更多的空间,也可以让 After Effters 在几个驱动器或者分区存储影片。

原始素材

保证所有的原始素材都有效,After Effters 是根据素材在硬盘上的存放路径来链接素材的。一般而言,素材文件不是必须放在它们的原始文件中,但是如果删除了它们,After Effters 会警告我们不能完成渲染过程。

输出要求

在进行渲染之前,要明确最终影片输出要求,如果要产生一个转到录像设备上的影片,需要决定录像设置使用的场渲染顺序,即上场优先还是下场优先。

34.设置一个工作区域,开始点为 0,结束点为 00:03:12,如图 10-1-27 所示。

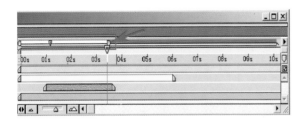

图 10-1-27 设置一个工作区域

工作区域的设置,只是一个简单过程,设置当前时间为 0,按键盘的【B】键,创建工作区域的开始点,设置当前时间为 00:03:12,按键盘上的【N】键,创建工作区域的结束点。

35.选择【Composition】>【Make Movie】菜单命令,在对话框中输入名称,单击【保存】按钮,将其文件保存。

36.在弹出的【Render Queue】对话框中,设置【Render Settings】为【Draft Settings】,设置【Output Module】为【Custom】,调出【Output Module Settings】对话框,参考如图 10-1-28 所示设置。

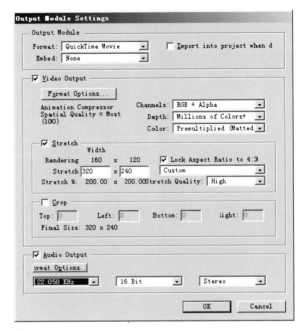

图 10-1-28 【Output Module Settings】对话框的设置

37.单击【Format Options】按钮,调出【Comperssion Settings】对话框,参考如图 10-1-29 所示设置。

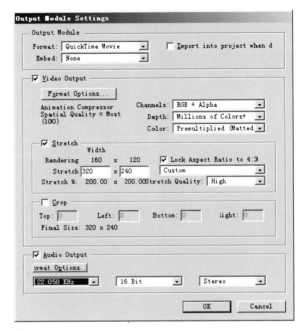

图 10-1-29 【Comperssion Settings】对话框的设置

38.设置完成后,单击【Render】按钮,开始进行渲染。

39.渲染完成后,关闭【Render Queue】对话框,开启完成的影片进行浏览,如图 10-1-30 所示。

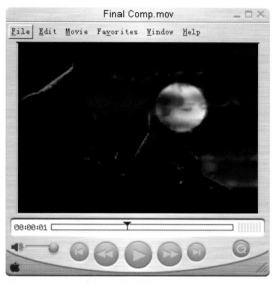

图 10-1-30　开启完成的影片进行浏览

知识点

当转化 24fps 的影片为 29.97fps 的 NTSC 视频时，需要用到所谓的"3:2 下拉法"，这种方法是以 3:2 的模式把影片的帧均匀地分布到视频的场中。

具体的分布方法如下：影片的第一帧拷贝到视频第一帧的场 1 和场 2，以及第二帧的场 1；影片的第二帧拷贝到视频的第二帧的场 2 和视频的第三帧的场 1。重复这种 3:2 模式，直到 4 个影片帧分布到视频的 5 个帧中，然后重新重复这个过程。

影片与视频的转换

3:2 下拉法生成整帧和分离帧，3 个视频整帧由来自影片帧的两个相同场构成；2 个分离场帧，则由两个不同的影片帧组成的场构成，并且两个分离帧总是相邻的。使用 3:2 下拉法的相位是指在素材的 5 个帧中。分离帧所在的位置。相位一般用 W、S 组合的方式表示，例如 WSSWW、WWSSW 等。

注意

为了使 *After Effects* 增加的各种效果能与原始的影片帧速率完美结合，对于由原始影片组成的视频素材，清除 3:2 下拉法的作用是非常重要的。清除 3:2 下拉法的作用之后，帧速率由 30fps（29.97fps）降回 24fps，并减少了变化帧的数量。清除 3:2 下拉法的作用之前，首先需要分离场为上场优先或者下场优先，一旦分离了场，*After Effects* 能够识别和决定正确的 3:2 下拉法相位以及场顺序，如果已经知道了相位以及场的顺序，可以选择它们。

40. 右击【项目】视窗，载入 "Funrl.mov" 素材文件，这个视频素材是 640x480 像素的。

41. 选择 "Funrl.mov" 素材文件，然后选择【File】>【Interpret Footage】>【Main】菜单命令，参考如图 10-1-31 所示设置。

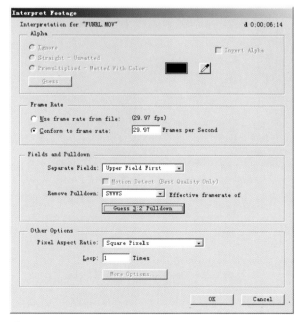

图 10-1-31　【Interpret Footage】的设置

编辑视频素材

42.设置当前时间为 00:03:13,从【项目】视窗中,拖动"Funrl.mov"素材文件至【时间线】视窗中,并放置在"House"和"Scary"图层之间,如图 10-1-32 所示。

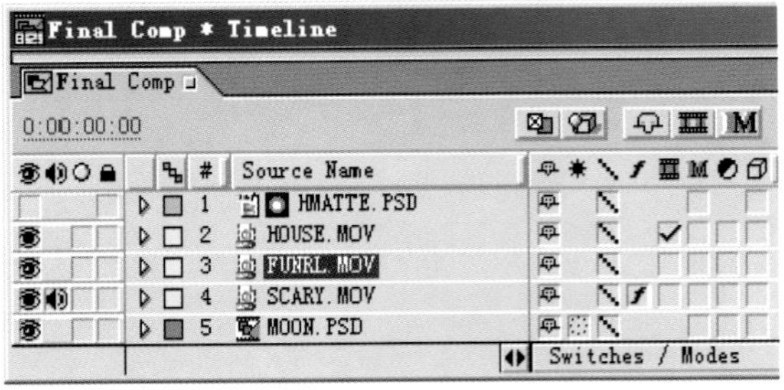

图 10-1-32　拖动"Funrl.mov"素材文件至【时间线】视窗中

43.选择"Funrl"图层,按快捷键【S】,调查【Scale】属性,设置【Scale】的值为 65%。

44.双击【时间线】视频中的"Funrl"图层,开启图层浏览视窗,单击【工具】面板上的【矩形工具】,在"Funrl"上创建一个矩形遮罩,如图 10-1-33 所示。

图 10-1-33　创建一个矩形遮罩

45.在【合成影像】视窗中,移动"Funrl"图层的右下边缘,以便可以与合成影像的右下边缘相互对齐,如图 10-1-33 所示。

图 10-1-33　与合成影像的右下边缘相互对齐

46.选择"Funrl"图层,选择【Layer】>【Time Stretch】菜单命令,在弹出的对话框中设置,如图 10-1-34 所示。

图 10-1-34　【Time Stretch】的设置

47.在【时间线】视窗中,单击【Frame Blending】检测框开启帧融合,如图 10-1-35 所示。

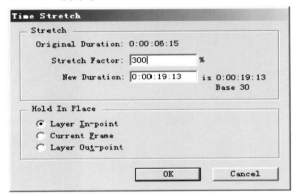

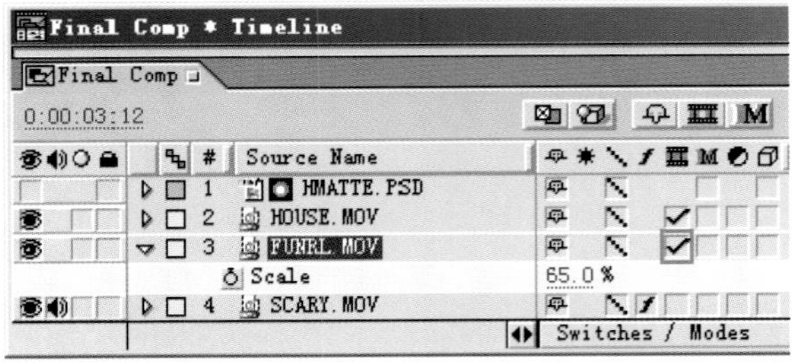

图 10-1-35　开启帧融合

48.选择【File】>【Save】菜单命令,保存项目文件。

49.设置当前时间为 00:03:13,选择"Funrl"

图层,按快捷键【T】,调出【Opacity】属性,设置参数为 0,并创建关键帧。

50.选择"House"图层,按快捷键【T】,调出【Opacity】属性,并创建关键帧。

51.设置当前时间为 00:04:00,设置"Funrl"图层的【Opacity】值为 100%,设置"House"图层的【Opacity】值为 0%,设置结果,如图 10-1-36 所示。

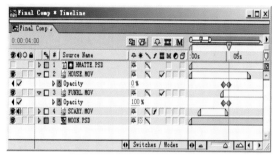

图 10-1-36 设置结果

导入 After Effects 项目文件

 知识点

在一个项目中,也可以导入 After Effects 的另一个项目文件,在导入的项目文件中,素材文件、合成影像、文件夹等,均保留在当前【项目】视窗中新建的文件夹下。如果使用的操作系统不支持某一个文件格式,或者文件丢失,那么 After Effects 运用占位符文件加以替代,可以双击占位符,重新链接文件或者在【项目】视窗中选取文件。

52.右击【项目】视窗,导入"Ghost.Aep"项目素材,单击【项目】视窗中的"Ghost.Aep"文件夹,展开项目目录,如图 10-1-37 所示。

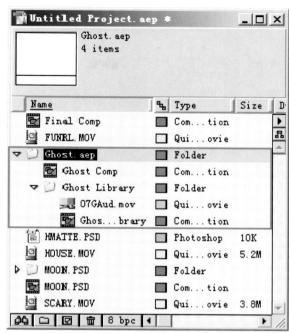

图 10-1-37 展开项目目录

53.在【合成影像】视窗中,设置当前时间为 00:03:00,将【项目】视窗中的"Ghost.Comp"素材拖到【合成影像】视窗中,结果如图 10-1-38 所示。

图 10-1-38 将"Ghost.Comp"素材拖到【合成影像】视窗中

 要点

只要能保持一个项目中所有文件的文件名、文件夹名以及相关路径,在不同的操作系统中都有效,就可以在不同的操作系统中,打开和导入 After Effects 的项目文件。

Wave Warp 效果

54. 在【时间线】视窗中,选择"Ghost"图层,设置当前时间为 00:03:00,按快捷键【T】,调出【Opacity】属性,设置参数为 0%,并设置关键帧。

知识点

该效果能在图像上产生弯曲的波浪效果,可以产生各式各样的波浪形状,例如方形、圆形、正弦波等等。Wave Warp 效果在指定的时间范围内,自动产生正常速度的动画效果,并且不需要设置关键帧。不过,如果想变化速度,那么必须设置关键帧。

55. 设置当前时间为 00:07:01,设置【Opacity】的值为 70%,并创建关键帧,设置当前时间为 00:12:18,设置【Opacity】的值为 70%,设置当前时间为 00:15:04,设置【Opacity】的值为 0%,现在【时间线】的设置如图 10-1-39 所示。

图 10-1-39 【时间线】的设置

56. 设置当前时间为 00:03:00,选择"Ghost"图层,然后选择【Effect】>【Distort】>【Wave Warp】菜单命令,弹出对话框,如图 10-1-40 所示。

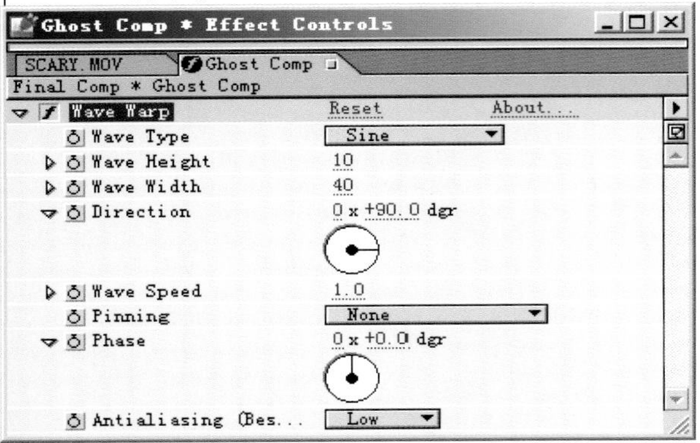

图 10-1-40 【Wave Warp】对话框

Wave Type——指定波浪的形状。

Wave Height——指定波浪的高度,越高的波浪产生的波形越厉害。

Wave Width——以像素为单位,指定两个波峰之间的距离,值越小产生的波越多。

Direction——指定波浪运动的方向。

Wave Speed——指定波浪运动的速度。

Phase——指定波浪沿波形开始循环的点。

Antialiasing——设置抗锯齿的程度或者边界的平滑程度,仅仅当图层的质量设置为最好时,才应用抗锯齿技术。

57. 设置【Wave Height】、【Wave Width】的关键帧,并设置【Wave Height】、【Wave Width】的值为 50,【Direction】的值为 0, 如图 10-1-41 所示。

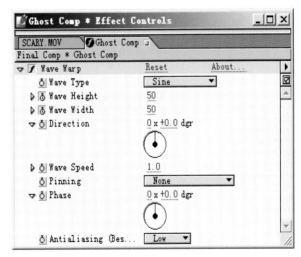

图 10-1-41 设置关键帧与参数值

58. 设置当前时间为 00:05:23,设置【Wave Height】的值为 3、【Wave Width】的值为 5。

59. 设置当前时间为 00:12:18,设置【Wave Height】的值为 3、【Wave Width】的值为 5。

60. 设置当前时间为 00:15:04,设置【Wave Height】的值为 150、【Wave Width】的值为 150。

61. 播放预览,如图 10-1-42 所示是 00:07:02 时间的合成影像效果。

图 10-1-42　00:07:02 时间的合成影像效果

62.保存项目文件。

Fast Blur 效果

知识点

该效果可以对图像进行高度模糊,并可以在水平方向、垂直方向上控制模糊的程度,以便产生难以识别的图像模糊效果。

在图像最好质量下,它与 Gaussian Blur 效果相似。不过,该效果适用于大面积的图像模糊,同时对于同一大面积图像进行模糊处理时,运用它的速度要比 Gaussian Blur 效果快得多。

63. 设置当前时间为 00:03:04,选择 "Ghost"图层,然后选择【Effect】>【Blur and Sharpen】>【Fast Blur】菜单命令,参考如图 10-1-43 所示设置。

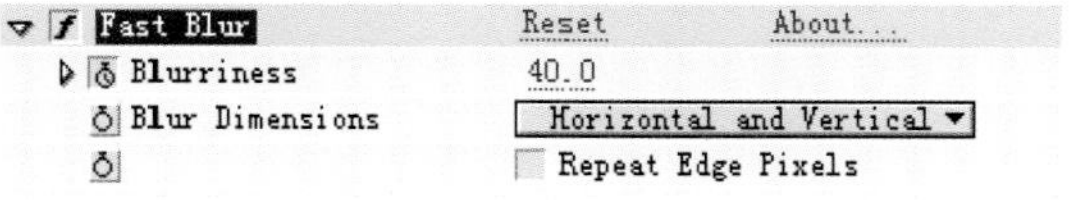

图 10-1-43　设置关键帧与产生

64. 设置当前时间为 00:05:12,设置【Blurriness】的值为 8。

渲染影片

65.在【时间线】视窗中,关闭所有的图层显示,只留"Ghost"图层显示,如图 10-1-44 所示。

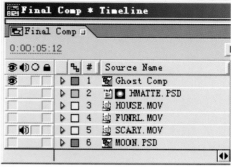

图 10-1-44　只留"Ghost"图层显示

66.建立一个工作区域,开始点为 00:03:04,结束点为 00:14:12,如图 10-1-45 所示。

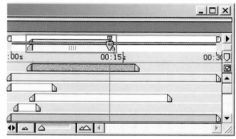

图 10-1-45　建立一个工作区域

67.选择【Composition】>【Make Movie】菜单命令,输入"Ghost.mov"名称,单击【保存】按钮,在【Render Queue】对话框中,设置【Render Settings】为【Draft Settings】,并在【Render Settings】中,参考如图 10-1-46 所示设置。

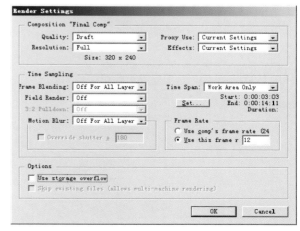

图 10-1-46　在【Render Settings】中的设置

68.设置【Output Module】为【Custom】,在【Output Module Settings】中,设置【Format】为【QuickTime Movie】。

69.设置完成后,单击【Render】按钮,开始渲染影片。

70.渲染完成后,播放渲染的影片效果,如图 10-1-47 所示。

图 10-1-47　播放渲染的影片效果

制作"闪电"效果

71.在【时间线】视窗中,开启所有的图层显示,除了"Hmatte"图层,如图 10-1-48 所示。

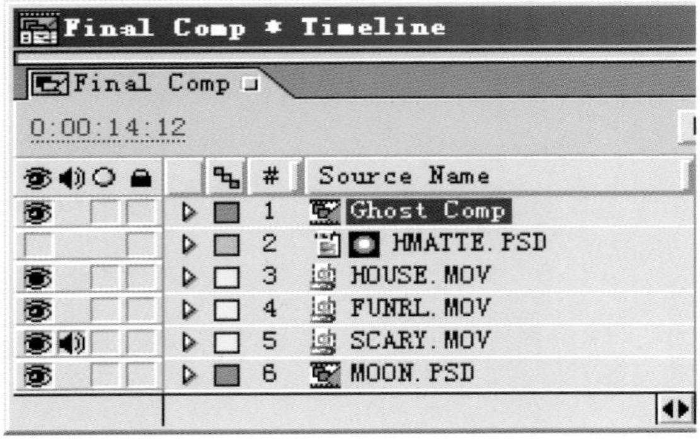

图 10-1-48　开启所有的图层显示

72.右击【项目】视窗,导入"Liting.mov"素材文件,设置当前时间为 00:15:00,从【项目】

窗口中,拖动"Liting.mov"素材文件至【合成影像】视窗中,并放置好位置,设置当前时间为 00:15:08,【合成影像】视窗中的显示状态如图 10-1-49 所示。

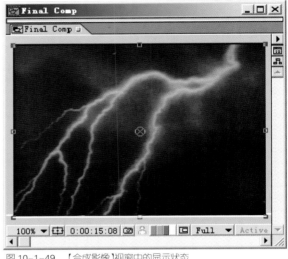

图 10-1-49　【合成影像】视窗中的显示状态

73.选择"Liting"图层,然后选择【Effect】>【Adjust】>【Brightness And Contrast】菜单命令,在控制效果中,设置 Brightness 的值为 20,Contrast 的值为 61,如图 10-1-50 所示。

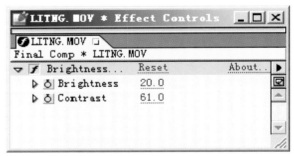

图 10-1-50　在控制效果中的设置

74. 在【时间线】视窗中,单击【Switches/Modes】,在【Mode】下选择【Lighten】选项。

加入声音

74.右击【项目】视窗,载入"Bass.mov"和"Scraud.mov"素材文件。

75.设置当前时间为 0,将"Bass.mov"素材文件放置【时间线】素材中,在【音频】面板中,拖动中间的滑动装置到 75%,如图 10-1-51 所示。

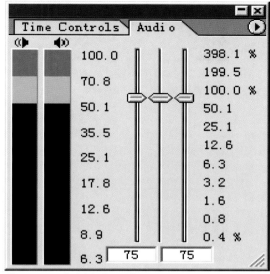

图 10-1-51　拖动中间的滑动装置到 75%

如果【音频】面板上的参数不是以"百分比"方式显示的,可以根据需要加以设置,单击右上角的三角形图标,选择【Options】,在弹出的对话窗口中,选择【Precentage】选项,然后单击【OK】按钮,关闭对话框,如图 10-1-52 所示。

图 10-1-52　选择【Precentage】选项

77.在【时间线】中,将"Bass"图层放置在最底层。

78.设置当前时间为 00:13:03,在【项目】视窗中,拖动"Scraud.Mov"素材放置到【时间线】中,然后在【音频】面板中,拖动中间的滑动装置到 63%。

创建渐强的声音

79.设置当前时间为 00:03:00,在【项目】视窗中,双击"Ghost Library"素材,以便开启它的【合成影像】和【时间线】,如图 10-1-53 所示。

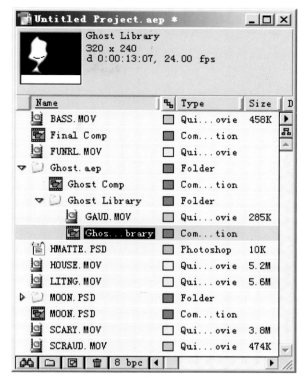

图 10-1-53　双击"Ghost Library"素材

80.在【时间线】视窗中,选择"Scary"图层,按快捷键【L】,调出【Levels】属性,并在当前音量下设置关键帧,参数值为 3.89db,如图 10-1-54 所示。

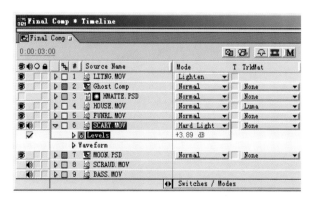

图 10-1-54　设置关键帧

81.设置当前时间为 00:03:14,设置【Levels】的值为 0db。

82.在"Ghost Library"的【时间线】中,设置当前时间为 0,选择"Gaud"图层,按快捷键【L】,调出【Levels】属性,并设置关键帧,如图 10-1-55 所示。

图 10-1-55 设置关键帧

83.设置当前时间为 00:03:05,设置【Levels】的值为-48db。

84.保存项目。

导入并编辑图像顺序

知识点

> 在 After Effects 中,可以导入具有相同文件格式并且文件名编有数字序号的文件。在【项目】视窗中,After Effects 自动将这类文件组合为一个序列文件,每一个文件代表一帧,并对序列中的全部文件,以序列中的第一个文件的大小、颜色深度进行变换,以数字序号为序进行排列。

85.导入"Title.psd"文件,并且选择【Photoshop Sequenue】复选框,单击【打开】导入该图像的序列,如图 10-1-56 所示。

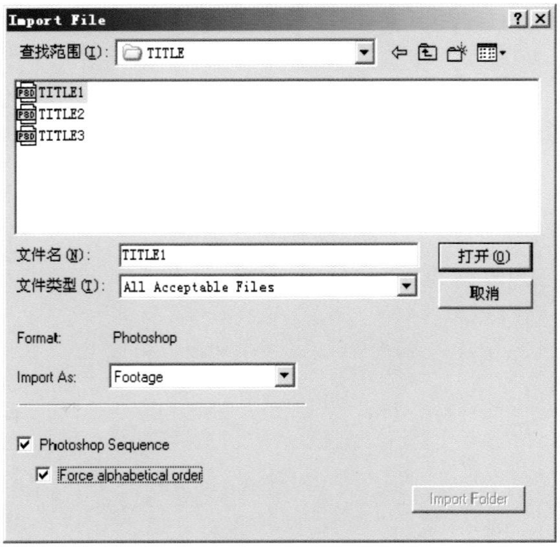

图 10-1-56 选择【Photoshop Sequenue】复选框

86.确定选择了"Title"序列素材,然后选择【File】>【Interpret Footage】>【Main】菜单命令,在对话框中,设置 Loop 的值为 23,单击【OK】按钮关闭窗口。

87.设置当前时间为 00:15:00,将"Title"序列素材放置【时间线】视窗中,【合成影像】视窗中的显示结果,如图 10-1-57 所示。

图 10-1-57【合成影像】视窗中的显示结果

88.在【时间线】视窗中,选择"Title"图层,然后选择【Layer】>【Time Stretch】菜单命令,设置【Stretch】的值为 300%。

89.设置当前时间为 00:15:21,选择"Title"图层,并展开【Transform】属性,在不改变属性值的情况下,分别设置【Position】、【Scale】、【Rotation】、【Opacity】四个关键帧。

90.设置当前时间为 00:15:00,设置【Opacity】的值为 0%、【Scale】的值为 0%、【Rotation】的值为 720 度。

91.建立一个工作区域,开始点为 00:15:00,结束点为 00:16:00。

92.单击【时间线】视窗中启用【Motion Blur】功能,如图 10-1-58 所示。

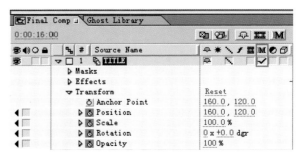

图 10-1-58   启用【Motion Blur】功能

93.设置当前时间为 00:15:21,在【Mode】下选择【Difference】选项。

94 保存项目。

Gradient Wipe 效果

知识点

该效果可以在第二个图层的亮度值基础上,建立一个渐变层,称为"擦拭图层",渐变层的像素亮度值决定了第一图层中哪些对应像素变为透明;渐变层的阴暗区域决定了哪些区域将最先变为透明,明亮区域也是如此。

95.导入"Blend.psd"素材文件,设置当前时间为 00:22:04,将其放置在【时间线】视窗的最下层。

96.选择【Layer】>【New】>【Solid】菜单命令,参考如图 10-1-59 所示设置。

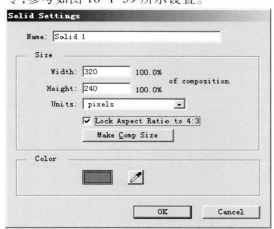

图10-1-59 【Solid Settings】的设置

97.选择【Effect】>【Transition】>【Gardient Wipe】菜单命令,展开【Solid】图层,设置当前时间为 00:22:04,创建【Transition Completion】属性的关键帧,值为 100%,如图 10-1-60 所示。

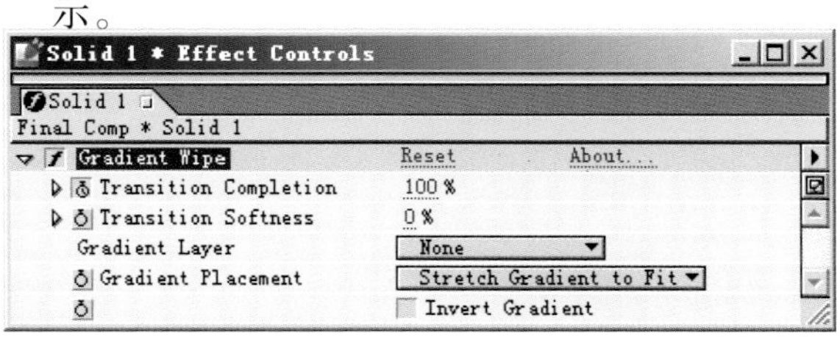

图10-1-60 创建【Transition Completion】属性的关键帧

98. 在【Gradient Layer】下拉栏中,选择【Blend.psd】选项,如图 10-1-61 所示。

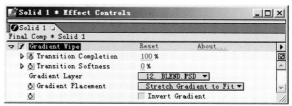

图10-1-61 选择【Blend.psd】选项

99.设置当前时间为 00:23:15,设置【Transition Completion】的值为 0%。

时间重映像

知识点

在 After Effects 中,运用一种称为时间重映像的处理技术,可以扩展、压缩、反向播放或者冻结图层的一部分。例如,如果正在使用一个人撕开"电影票"的素材,可以播放撕开的素材,当撕到一半时,冻结运动,然后反向播放几帧,使"电影票"又重新显示为一张完整的票。

可以在包含音频、视频或者两者都包含的图层上,进行时间重映像。当应用时间重映像技术到一个包含音频和视频的图层上时,音频和视频保持同步,可以重映像音频素材,使其渐渐减弱,或者渐渐增强,反向播放音频时,产生一个颤音,或者"刮擦"的声音。

当发生时间重映像时,After Effects 在【时间线】视窗中的开始点和结束点,增加"时间重映像关键帧",通过设置另外的重映像关键帧,可以产生复杂的运动效果,每次增加一个时间重映像关键帧时,在关键帧下方的图形上,显示一个"值图标记",向上和向下移动该标记时,时间重映像值在当前时间改变视频帧的设置,然后 After Effects 插入中间的关键帧,从该时间点向后或者向前播放素材。

100.选择【Edit】>【Preference】>【Previews】菜单命令,设置【Duration】为 00:16:00,单击【OK】按钮关闭窗口。

提示

重映像时间时,原始素材的原时间长度可能不再有效,因为层的部分内容不再是以原来的速率播放,如果必要的话,可在重映像时间之前,设置新的持续时间。

101.导入"Scrvid.mov"素材文件,设置当前时间为 00:23:06,将"Scrvid.mov"素材放置【时间线】视窗中。

102.选择【Layer】>【Enable Time Remapping】菜单命令,对当前图层应用时间重映像。

103.在展开"Scrvid"图层时并展开【Time Ramap】属性,如图 10-1-62 所示。

图10-1-62   展开【Time Ramap】属性

A 是第一帧、B 是最后一帧、C 是激活帧、D 是最高速度、E 是当前速度、F 是最低速度、G 是默认开始帧、H 是默认结束帧。

104.在【时间线】视窗中,拖动"Scrvid"图层中持续时间条尾部的"三角",将需要冻结的帧,拖至合成映像的结束点。

在 After Effects 中,对于时间重映像有多种选择。例如,可以重映像整个图层,使用反向播放;可以在图层的开始时间或者结束时间重映像几个帧,产生冻结帧的效果;也可以使时间重映像层中间部分的帧产生慢动作效果。

105.设置当前时间为 00:23:06,这时当前时间标记正好位于第一个关键帧上。

106.选择第一个关键帧,按数字键盘上的【星号】键,快速创建一个图层标记,双击图层标记,在对话框中设置,如图 10-1-63 所示。

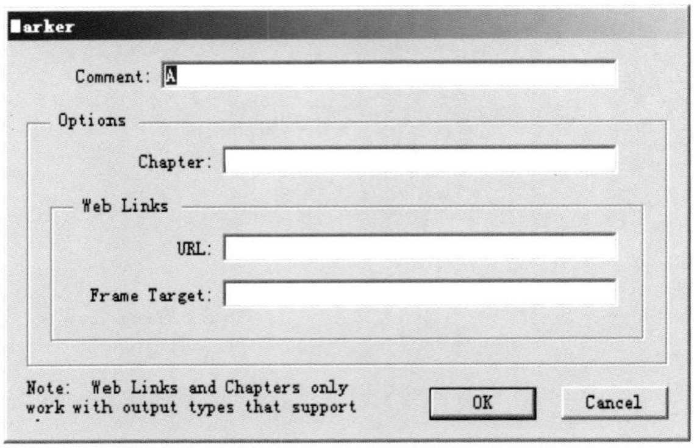

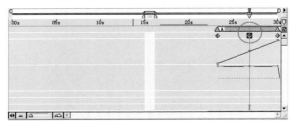

图10-1-63   在对话框中设置

107.拖动第二个关键帧至结束点,按数字键盘上的【星号】键,取名为【B】,移动时间标记至两个关键帧的中间位置,单击【Time Remap】左边的关键帧检测框,建立另一个关键帧,如图 10-1-64 所示。

图 10-1-64   建立另一个关键帧

108.为中间的关键帧创建 C 图层标记。

109. 在关键帧下的时间重映像图表中,拖动【值图标记】,拖动时观察时间重映像的值。

淡出淡入效果

110.单击【Swutches/Modes】,在"Scrvid"图层中的【Mode】下拉菜单中,选择【Lighten】选项。

111. 设置当前时间为 00:23:06,选择"Scrvid"图层,设置【Opacity】值为 0%,并设置关键帧。

112.设置当前时间为 00:25:00,设置【Opacity】值为 100%,设置当前时间为 00:29:00,设置【Opacity】值为 100%,设置当前时间为结束时间,设置【Opacity】值为 0%。

113.保存项目。

渲染最终影片

114.选择【Composition】>【Make Movie】菜单命令,取名并保存,设置【Render Settings】为【Best Settings】,单击【Best Settings】,在弹出的对话框中,参考如图 10-1-65 所示设置。

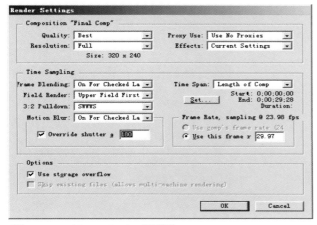

图 10-1-65 【Render Settings】的设置

115.设置【Output Module】为【Custom】,参考如图 10-1-66 所示设置。

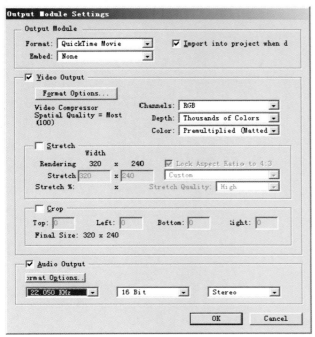

图 10-1-66 【Output Module Settings】的设置

116.设置完成后,单击【Render】按钮开始进行渲染。

117.渲染完成后,进行影片浏览。

小结:

　　运用计算机进行剪辑或者编辑合成动画与传统编辑制作最大的不同点就是创意的发挥,运用这些讲解的简单技术加以不同的组合,便可以创造出个人风格的影片。总之,一段精彩的影片完成,一半是软件的功劳,一半是人的想象力。

课外练习

　　根据所学的知识制作一部个性化的影片。